Bibitsa ou
l'étrange voyage de
Clara Vic

Données de catalogage avant publication (Canada)
Duchesne, Christiane, 1949-

Bibitsa, ou, L'étrange voyage de Clara Vic

(Collection Littérature jeunesse ; 2)

Pour les jeunes à partir de 10 ans.

ISBN 2-89037-534-X

I. Titre. II. Titre: L'étrange voyage de Clara Vic.
III. Collection: Collection Littérature jeunesse
(Québec/Amérique) ; 2.

PS8557.U24B52 1991   JC843'.54   C91-096207-3
PS9557.U24B52 1991
PZ23.D82Bi 1991

Diffusion :
Éditions françaises, 1411, rue Ampère,
Boucherville (Québec), J4B 5Z5
(514) 641-0514 • région métropolitaine : (514) 871-0111
région extérieure : 1-800-361-9635 • télécopieur : (514) 641-4893

Dépôt légal : 2ᵉ trimestre 1991
Bibliothèque nationale du Québec
Bibliothèque nationale du Canada

Réimpression : mars 1996

Montage : Éric Hince

Les Éditions Québec/Amérique bénéficient du programme de
subvention globale du Conseil des Arts du Canada.

Bibitsa ou
l'étrange voyage de
Clara Vic

CHRISTIANE DUCHESNE

QUÉBEC/AMÉRIQUE JEUNESSE
1380 A, rue de Coulomb, Boucherville, Québec J4B 7J4, Tél : (514) 655-6084

De la même auteure

GASPARD OU LE CHEMIN DES MONTAGNES,
coll. Gulliver, Québec/Amérique Jeunesse, 1984.

LA VRAIE HISTOIRE DU CHIEN DE CLARA VIC,
coll. Gulliver, Québec/Amérique Jeunesse, 1990.
PRIX DU GOUVERNEUR GÉNÉRAL, 1990
PRIX ALVINE-BÉLISLE, 1991

VICTOR, coll. Gulliver, Québec/Amérique Jeunesse, 1992.
PRIX DU GOUVERNEUR GÉNÉRAL, 1992

LA 42ᵉ SŒUR DE BÉBERT,
coll. Gulliver, Québec/Amérique Jeunesse, 1993.
PRIX CHRISTIE, 1994

LES PÉRIPÉTIES DE P. LE PROPHÈTE,
coll. Gulliver, Québec/Amérique Jeunesse, 1994.

BERTHOLD & LUCRÈCE,
coll. Bilbo, Québec/Amérique Jeunesse, 1994.

LA BERGÈRE DE CHEVAUX,
coll. Gulliver, Québec/Amérique Jeunesse, 1995.

à monsieur Sylvain Dalle Mole

Note de l'auteur

Je n'ai pas inventé Bibitsa Bibelas, je n'ai pas inventé monsieur Kamil non plus.

D'ailleurs, on pourrait chaque jour écrire l'histoire de quelqu'un.

Bibitsa Bibelas a bien vécu à Ayvalik et à Mytilène. Elle est restée toute sa vie aux prises avec une guerre qui a détruit son enfance.

Monsieur Kamil, lui, s'appelait Sylvain Dalle Molle et habitait rue Saint-Hubert, à Montréal.

J'en ai fait le médecin d'Ayvalik, j'aurais pu tout autant en faire le plus beau des pères Noël. Il a vécu toute sa vie pour les enfants d'ici et d'ailleurs, surtout pour ceux qui ont besoin de tout et qui risquent, comme Bibitsa, de rester aux prises avec une guerre qui a détruit leur enfance.

***

Référence :
Le grand guide de la Turquie,
Bibliothèque du voyageur,
Gallimard, 1989

Remerciements

Je remercie tout particulièrement Nassos Bibelas et Michèle Dupuy qui ont su me raconter l'histoire de Bibitsa.

Je remercie également monsieur André Payette qui m'a livré, sans le savoir, le secret de Sylvain Dalle Molle.

Thasos

Samothrace

Salonique

Limnos

MER ÉGÉE

GRÈCE

Andros

Athènes

Tinos

Istanbul

Bursa

Troie

Balikesir

esbos ● Ayvalik

● Mytilène

● Pergame

Chios

● Izmir

TURQUIE

Samos

nos

Kos

*La solidarité est la
tendresse des peuples.*

Chapitre 1

J'irai voir pour toi la ville, la maison et je te raconterai comment c'est aujourd'hui, puisque toi, tu n'y es jamais allé.

«Jamais je n'oublierai cette ville», écrit Clara Vic dans son cahier rouge le jour où elle débarque à Istanbul. Et le soir même, elle écrit à Bibelas:

«Tu devrais voir, tout est gris et en même temps, on dirait qu'il y a de l'or partout. Je vois ce que voyait ta Bibitsa quand elle venait dans la grande ville.»

Clara sait qu'elle n'oubliera jamais la gare d'Istanbul. La douceur de la gare d'Istanbul. Quelque chose d'étrangement doux entre les murs de cette gare. Les odeurs de la gare d'Istanbul. Les odeurs autour de la gare d'Istanbul. Et puis le port, tout près. Plus qu'une gare, plus que le plus gros terminus, que tous les ports qu'elle a connus jusque-là, celui d'Istanbul est un endroit de bout du monde.

«Les bateaux se croisent comme des autos tamponneuses et à les voir aller, on a peur qu'ils se frappent. Des cargos russes, des chaloupes à moteur, toutes sortes de bateaux. N'importe quoi pourrait arriver. Il y a des barques qui viennent s'amarrer entre deux traversiers chaque cinq minutes. Il doit sûrement y avoir des accidents. La chose la plus étonnante que j'ai vue, c'est une toute petite barque, coincée entre deux traversiers chargés de centaines de personnes. Dans la barque, deux pêcheurs et un monceau de poissons. Au centre de la barque, il y a un feu, un feu au-dessus duquel des poissons sont en train de frire dans une immense poêle ronde. Tout ça dans les vagues et les remous. Les pêcheurs préparent des sandwiches au poisson qu'ils vendent aux gens sur le quai. Il y a même une salière attachée par une corde à la clôture du quai au cas où le poisson ne serait pas as-

sez salé. Et des armées de goé-
lands qui viennent chercher les
miettes.»
(Extrait du cahier rouge)

***

Depuis deux ans, Clara Vic habite une
île de la mer Égée et lorsqu'on vit dans une
île, c'est dans une grande ville qu'on part
en vacances.

Destination Istanbul.

Quand son père lui a annoncé qu'ils al-
laient passer trois semaines en Turquie,
Clara s'est empressée d'écrire à Bibelas.

Bibelas habite à dix heures de bateau
de l'île de Clara. Son île à lui est blottie
contre la côte turque et pourtant, c'est une
île aussi grecque que celle de Clara. «Nous
avons chacun notre île, tu te rends
compte?» lui avait-elle écrit un jour.

Bibelas avait répondu: «Nous habitons
chacun une île en attendant. Rien qu'en attendant. Toi, de rentrer chez toi, moi, de
retrouver le vrai pays d'où je viens.» Car
dans l'île de Bibelas vivent des centaines
de familles, chassées de Turquie au début
du siècle, réfugiées dans cette île toute
proche de la côte turque.

Chaque fois que Bibelas parle de sa famille, Clara voudrait en savoir plus. L'his-

toire l'intrigue. Bibelas parle de fuite, de guerre et de trésors, de terres perdues, volées, reprises et finalement perdues pour toujours. Bibelas parle de fausses frontières, de villages à reprendre un jour, d'un pays à retrouver. Bibelas parle surtout de la maison de Bibitsa, perdue, oubliée là-bas sur la côte turque, qu'il ira voir un jour.

Est-ce que tout cela est vrai, se demande Clara, ou est-ce qu'il invente? «C'est l'histoire de Bibitsa!», rétorque-t-il, comme si c'était une preuve. Bibitsa. Bibitsa Bibelas qui a vécu la révolution de 1922.

Clara voudrait bien tout savoir, connaître les détails de cette curieuse histoire de famille. Mais les histoires de révolution ne sont pas faciles à comprendre.

***

«Je pars pour Istanbul, lui écrit Clara dès qu'elle apprend qu'elle part pour la Turquie. On ira voir aussi le cheval de Troie, on ira voir Pergame et Éphèse. Je voudrais bien aller dans la ville de ta Bibitsa, si jamais on passe par là. Raconte-moi tout. J'irai voir pour toi la ville, la maison et je te raconterai comment c'est aujourd'hui puisque toi, tu n'y es jamais allé.»

***

Une semaine plus tard était arrivée par le bateau du matin une épaisse enveloppe adressée à Clara de l'écriture sage de son Bibelas.

– Le chien! Viens, le chien! crie Clara. C'est le courrier!

Depuis qu'elle habite l'île, Ermis le chien ne la laisse jamais. C'est toujours ensemble qu'ils vont attendre, soir et matin, le bateau qui rattache l'île au continent.

Le chien sur ses talons, Clara court à la maison, monte sur la terrasse et s'empresse d'ouvrir la lettre de Bibelas.

– Il était temps qu'il me réponde! dit-elle à Ermis. Tu imagines, le chien, on part dans deux jours! Toi, tu vas rester bien sage avec Sophia pendant tout le temps que je serai partie. Tu comprends? Sage, très sage, pour que je te rapporte un cadeau.

Ermis penche la tête sur le côté comme s'il réfléchissait. Chaque fois qu'elle part en voyage, Clara lui rapporte toujours un cadeau. Qu'est-ce qu'elle allait lui rapporter cette fois-ci?

– Oui, tu vas être sage. Tu pourras aller courir dans la montagne autant que tu veux à condition que, tous les soirs, tu ailles manger chez Sophia. Sinon, elle croira que tu t'es perdu. Compris?

Ermis se couche sur les pieds de Clara et ferme les yeux avec un grand soupir heureux, pendant que Clara commence la lecture de la lettre qui doit lui apprendre l'histoire de Bibitsa.

Chapitre 2

Elle me racontait aussi les Moskonissia,
les îles qui sentent les oursins.

«Ma chère Clara,
J'espère que tu recevras ma lettre à
temps. J'ai dû donner un concert dans le
Nord, et le retour a été plus long que prévu.
Je t'écris vite tout ce qui me vient à l'esprit à propos de Bibitsa. Il m'en reste un
souvenir très doux, celui d'une vieille
dame qui racontait des histoires étranges.
C'était la tante de mon père, je te l'ai déjà
dit. Tout le monde a toujours cru qu'elle
était folle et que ce qu'elle racontait était
de l'invention. Mais après sa mort, on a
retrouvé des papiers qui prouvaient bien
que tout ce qu'elle disait était vrai. Moi, j'ai
toujours cru aux histoires de Bibitsa.
Je ne sais pas par où commencer, Clara,

ni par quel bout prendre toute cette histoire. Le jour où elle est morte, j'étais avec elle. Elle m'a toujours raconté des histoires que j'aimais. Si les autres n'y croyaient que plus ou moins, pour moi, c'étaient les plus belles. Elle me parlait de la maison d'Aïvali (elle n'a jamais prononcé Ayvalik comme les Turcs), elle me disait comment le soir elle partait à cheval sur la plage jusqu'à ce qu'elle ne puisse plus voir la ville.

Le soir où elle est morte, elle avait l'air d'une toute petite fille. Elle avait pourtant presque quatre-vingt-cinq ans. Elle est morte doucement, sans jamais avoir mis le pied en dehors de son enfance, sans jamais être retournée dans sa ville natale qui est pourtant juste en face d'ici, mais dans un pays qui n'est plus le sien depuis longtemps.

Je pense que, toute sa vie, elle l'a passée à Aïvali, dans son cœur, dans sa mémoire, dans les souvenirs dont elle s'enveloppait pour parvenir à vivre. Elle n'a jamais vraiment vieilli. Ne s'est jamais mariée, n'a jamais eu d'enfants.

La lumière rose de sept heures l'enveloppait encore comme ses souvenirs au moment où le fil s'est cassé. Elle m'a souri et tout à coup, son sourire s'est figé comme pour une photographie. Elle a cessé de m'entendre. Ce soir-là, vois-tu, c'est moi qui lui racontais des histoires. Je le lui

22

devais. Je lui racontais son histoire à elle, comme elle me l'avait racontée des centaines de fois; je lui racontais son histoire pour qu'elle ne perde pas le fil de sa mémoire de petite fille. Je lui parlais de sa maison sur la colline, du chemin qui descend à la mer, de tout ce que je n'ai jamais vu et que toi tu verras peut-être. Je lui racontais ce qu'elle voulait entendre. Je ne lui ai pas parlé des cauchemars qu'elle faisait, ni de tout ce qu'elle racontait en dormant.

Jamais le jour elle ne parlait des soldats, des atrocités de la guerre, des deux voyages entre Aïvali et Mytilène, voyages de mort comme elle disait dans ses rêves.

Je lui ai dit: «Tu te rappelles, Bibitsa, le jour où tu avais trouvé un nom pour ton cheval?»

C'est ce moment-là qu'elle a choisi pour mourir, qu'elle a souri pour toujours avec un soupir léger qui avait un parfum de fleur. Elle m'a laissé son odeur, Clara, elle m'a laissé son histoire. J'ai toujours gardé son image, je la revois quand je veux.

Si jamais tu passes à Ayvalik, tu pourras voir la maison. Mon père m'a dit qu'elle appartenait depuis des années à un médecin. J'aimerais bien que tu m'écrives comment c'est là-bas. Je n'y suis jamais allé. Personne de la famille n'y est jamais retourné depuis 1923.

J'aimais quand Bibitsa racontait, et faisait du même coup sourire la famille, l'histoire du trésor que son père avait caché dans la deuxième marche de l'escalier de la maison. Des quantités d'argenterie, des coupes en or, des bijoux et surtout une dague avec des pierres précieuses.

Quand j'étais tout petit, je rêvais du trésor. Je me disais qu'un jour, j'irais le chercher pour l'offrir à Bibitsa. J'étais sûr que, si elle retrouvait son trésor, sa mémoire guérirait un peu. Mais il n'y a sans doute plus de trésor. La maison n'existe peut-être même plus.

Bibitsa avait huit ans lorsque sa famille a été chassée de Turquie la première fois.

«C'était ma première guerre», disait-elle avec un sourire.

Après les troubles, les Grecs réfugiés à Mytilène sont retournés dans leurs maisons d'Ayvalik et la vie a repris comme avant.

1922, la révolution. Quelle partie du territoire appartient à qui?

En 1923, ils sont chassés une deuxième fois. Bibitsa avait presque quinze ans.

Cette fois-là, ce fut la vraie guerre, féroce. Les Grecs d'Ayvalik ont été forcés de retourner une deuxième fois dans l'île que j'habite aujourd'hui. Longtemps, ils ont cru pouvoir reprendre la mer et rentrer chez eux comme la première fois. Mais Aïvali était devenue Ayvalik, terre turque, terre de l'ennemi.

Je crois que Bibitsa ne s'est jamais remise de cette guerre-là. Sa mémoire est toujours restée là-bas, tu comprends?

Je ne me rappelle plus toutes les histoires qu'elle racontait. Il faudrait que je demande à mon père. Mais je te jure que, quand j'étais petit, pour moi, c'étaient des histoires à faire rêver, surtout celle du trésor et celle du carrosse.

Elle racontait qu'un jour, elle s'était évanouie en pleine rue, ici, à Mytilène. Elle avait trente ans.

La famille s'était affolée, on avait fait venir le médecin, mais elle s'était obstinée à dire qu'elle n'était pas malade. Elle avait vu un souvenir, disait-elle.

Et ce souvenir (elle m'en a souvent parlé), c'était le carrosse de sa mère, celui dans lequel elle voyageait quand elle était petite. Un carrosse noir tiré par des chevaux, avec des dorures partout et, sur les portes, les initiales de sa mère: E.M. Sa mère s'appelait Efthalia.

Elle a vu le carrosse à Mytilène. Elle a reconnu les initiales et elle s'est évanouie, simplement. Qui avait rapporté le carrosse de Turquie? Qui l'avait volé?

Elle me racontait aussi les Moskonissia,

les îles qui sentent les oursins. Une ving-
taine d'îles vert foncé, couvertes de pins,
qui s'éparpillent entre la côte turque et l'île
que j'habite comme un chemin dans la mer.
Bibitsa partait souvent à cheval et montait
à la *table du diable*, le point le plus élevé de
la région d'où elle pouvait voir toutes les
îles.

Elle me parlait de Pergame, la plus
grande cité grecque de tous les siècles.

Elle me parlait des vastes oliveraies de
son père.

Bibitsa, c'était un surnom. Elle s'appelait Antigone.

Je pourrais t'écrire encore longtemps,
mais si je continue, tu ne recevras pas ma
lettre avant ton départ.

Raconte-moi tout à mesure, ce que tu
vois, ce que tu trouves, écris-moi tous les
jours s'il le faut. Et une fois rendus à Ayvalik, vous pourrez toujours traverser chez
moi, c'est à deux heures de bateau. Aver-
tis-moi un peu à l'avance pour qu'on vous
prépare les chambres.

Je t'embrasse. Flatte Ermis pour moi
derrière les oreilles.

Nassos

P.S. Essaie de faire le plus de photos
possible de la maison de Bibitsa, si tu la
trouves.»

Chapitre 3

Et je me dis que Bibitsa a vécu
au temps des sultans.

Deux jours après avoir reçu la lettre de Bibelas, Clara Vic débarque à Istanbul, absolument séduite par les jardins des mosquées et par les cargos qui remontent le Bosphore vers la Russie.

> «Je suis à l'autre bout du monde.
> C'est ici qu'on traverse d'un con-
> tinent à un autre. La moitié d'Is-
> tanbul est en Europe et l'autre moi-
> tié en Asie. De la fenêtre de ma
> chambre, je regarde le dernier pe-
> tit morceau d'Europe, et puis l'A-
> sie jusqu'à l'horizon.»
> (Extrait du cahier rouge)

Dès le premier jour, Clara veut s'emplir

la tête de toutes les images d'Istanbul. Le dresseur d'ours. Les vendeurs de billets de bateau. Quarante autobus rouges, les uns derrière les autres, qui montent vers Sultanahmet. Le vendeur de toupies. Petites toupies de bois marquées de rayures d'or qui tournent sur le pied aussi bien que sur la tête. Clara en a acheté deux tout de suite, elles sont trop jolies.

On pourrait passer une semaine ici sans avoir à mettre les pieds dans un restaurant: on vend de tout dans la rue. Il flotte partout des odeurs d'oignon, d'agneau, de tomate, des odeurs de miel, de poivre et de clou qui se mêlent à celle de mazout des autobus et des bateaux. Des odeurs de poussière aussi.

> «Premier soir. J'ai mal aux jambes. Je n'ai jamais vu une ville avec autant de côtes et des côtes aussi drues. Même descendre, ça me tire les mollets. Mais c'est la plus belle ville que j'ai jamais vue. Avec une gare que j'ai aimée tout de suite, je ne sais pas trop pourquoi. Au bureau des renseignements où on change l'argent, il y a Attila, le chef de bureau. Il m'a donné une pomme.»
> (Extrait du cahier rouge)

***

Clara ouvre les yeux. Premier matin, six heures. Elle sait bien qu'elle ne dormira plus. Elle se lève sur la pointe des pieds pour explorer l'appartement. Celui d'un cousin d'un ami de son père. Un appartement de grand-mère, avec des meubles partout, d'énormes fauteuils en velours qui pique. Clara s'y est laissée tomber de fatigue la veille, et s'y est endormie.

Le plus extraordinaire, c'est la terrasse, plus grande que l'appartement.

Un peu plus haut derrière, la Mosquée bleue avec ses minarets qui montent dans le ciel gris d'Istanbul. Une autre terrasse, plus petite, domine le Bosphore et la partie d'Asie de la ville. C'est de là que Clara regarde les bateaux monter vers la mer Noire. Une sorte de bout du monde qui n'arrête jamais de bouger, qui ne doit jamais arrêter de vivre, même la nuit.

Dans l'île de Clara Vic, le silence s'impose de lui-même après le départ du bateau du soir: on peut passer sa soirée à regarder les étoiles en silence.

Hier soir, on ne voyait presque pas d'étoiles au-dessus d'Istanbul.

Clara passe d'une pièce à l'autre: elle aimerait bien habiter un jour une maison comme celle-ci. Le chauffe-eau fonctionne au bois, il faut faire un feu sous une cheminée de métal avant de prendre sa douche. Mais de l'eau, il n'y en a pas toujours. Les bidons s'alignent dans le corridor, gentiment remplis par le propriétaire qui sait, lui, qu'on risque souvent de manquer d'eau.

Elle veut voir Topkapi, le palais des sultans. Clara veut tout voir de cette ville qui ne ressemble à rien de ce qu'elle connaît.

Tout à l'heure, elle expliquera une fois de plus à ses parents qu'il faut aller à Ayvalik. Depuis son départ de Tinos, Clara ne peut s'empêcher de penser à Bibitsa. Où habitait-elle lorsqu'elle venait à Istanbul? Comment était-elle alors, cette étrange ville? Et Bibitsa? Y venait-elle dans son carrosse à chevaux?

Il faut descendre à Ayvalik. L'histoire du trésor lui trotte dans la tête. S'il y était toujours?

***

Une rumeur dehors, un bruit qui monte sans qu'on s'en rende compte. Clara sort sur la terrasse.

La rue disparaît sous d'innombrables voiles blancs. D'un bout à l'autre de la rue en pente, des toiles recouvrent tout, accrochées n'importe comment, un peu comme les maisons en couvertures que Clara se construisait quand elle était petite. Elle descend vite les quatre étages sur la pointe des pieds.

En ouvrant la porte, elle tombe sur un marchand de concombres qui lui en offre aussitôt trois avec un grand sourire.

Un marché! La rue s'est transformée en marché. Clara se promène lentement sous les toiles blanches: des montagnes de riz et de fèves sur de grands tapis de coton, des tables qui n'en finissent plus, couvertes de peignes, de chaussettes et de chaussures, de tricots, d'ustensiles de toutes les espèces. Et les concombres, les tomates, les courges... Tout, il y a de tout.

> «Hier soir, j'ai à peine eu le temps de regarder la rue. Ce matin, ce n'est plus la même. Elle a quelque chose de très sérieux et de très drôle en même temps. Est-ce que c'est comme ça tous les mercredis? Tout le monde s'amuse et m'offre quelque chose. Je suis rentrée à la maison avec trois concombres, un peigne rouge et une brosse à poils tellement durs que je vais la garder pour brosser Ermis, un porte-clé en forme de croissant et un pot de yogourt.»
> (Extrait du cahier rouge)

***

Chaque jour, Clara Vic fouille les quartiers de cette ville fabuleuse. Véfa et ses hautes maisons de bois, l'aqueduc de Valens, Taksim et les pâtisseries, les alentours sombres de la tour de Galata, le marché égyptien où on vend des épices, odeurs de poivre, de cannelle et de menthe, et le marché aux oiseaux. Deux noms lui restent dans la tête comme des paroles de chanson: Sishane et Aksaray.

Chaque jour, Clara se dit qu'elle reviendra un jour à Istanbul. Elle voudrait bien y vivre.

Elle a acheté un sac pour Sophia, un livre ancien sur les turbans pour Aléko, un oiseau de bronze pour madame piles. Aujourd'hui, elle a eu envie d'acheter tout ce qu'elle voyait.

***

Clara rentre à l'appartement sous une pluie fine et obstinée, coupant à travers les grands jardins de Sainte-Sophie, un sac de pistaches sous son imperméable.

Depuis qu'elle est à Istanbul, Clara Vic sait que sa rue se transforme en marché tous les mercredis, qu'on fait mieux de se promener avec des espadrilles sinon les cireurs de souliers ne vous laissent pas tranquille une seconde, que les pistaches sont meilleures chaudes, que la ville ne s'endort jamais comme elle l'avait compris le premier jour, qu'Attila a toujours une pomme pour elle à la gare où on va changer l'argent, que tout le monde a quelque chose à vendre et que, sous les grands ponts, on trouve des boutiques flottantes.

«C'est une ville très essoufflante et en même temps, on a toujours tout le temps de faire ce qu'on veut, écrit Clara à Bibelas. Tu devrais voir sous les ponts. C'est difficile à expliquer. Attachées au pont, entre les piliers, comme si on ne voulait pas perdre un bout d'espace libre, il y a des boutiques, des cafés, des endroits où les hommes boivent du thé dans des verres en forme de tulipe et fument de longues pipes à tuyaux, des endroits où on achète des cartes postales. Et tout ça flotte sur l'eau sale de la Corne d'Or à chaque bout du pont! Ici, les ponts bougent. Quand un autobus passe à côté de moi sur le pont de Galata, je respire à fond parce que je sais que tout va bouger. Comme une vague de tremblement de terre. Je ne peux pas te dire à quel point je suis bien ici. Mais ne t'inquiète pas, on part demain pour Ayvalik. Je passe mes journées à penser à ta Bibitsa. Surtout quand je vois des trucs de sultans.

Il y en a partout, c'est comme un vieux décor, très ancien. Et je me dis que Bibitsa a vécu au temps des sultans. Je trouverai bien ton trésor», écrit-elle en souriant.

**

Le départ d'Istanbul se fait le soir vers neuf heures, devant le bureau des autobus de grandes lignes, à côté d'un vendeur de marrons. Un cornet de marrons brûlants pour Clara.

Lorsque l'autobus passe le pont du Bosphore qui traverse en Asie, Clara ouvre grands les yeux pour voir encore une fois les minarets éclairés par-dessous, sa Mosquée bleue et les lumières du port. Elle veut fixer l'image pour toujours.

> «Même quand j'aurai cinquante-cinq ans, je reviendrai à Istanbul dès que je le pourrai. C'est une ville pour se faire des surprises. J'en ai vu un tout petit morceau, mais je voudrais tout voir. Et si j'ai des enfants, c'est ici que je les emmènerai parce que c'est mon bout du monde à moi.
> Un jour, je viendrai vivre ici.»
> (Extrait du cahier rouge)

Demain matin, après des heures d'auto-bus, Clara sera au village des Bibelas. Escale à Ayvalik pour voir le bord de la mer... Clara a réussi à convaincre ses parents.

Elle serait bien restée à Istanbul tout le temps des vacances. Mais il y a Troie et le cheval, Pergame et tout ce qu'il faut voir absolument. Et le trésor. Clara ne peut s'empêcher de sourire lorsqu'elle pense à la lettre qu'elle écrira à Bibelas si jamais elle le découvre, le trésor de famille. Même s'il n'y croit plus, Bibelas, même s'il pense que le trésor n'existe plus, Clara se fait un plaisir de penser qu'elle aura vu au moins la maison de Bibitsa. Sinon, sa ville. Elle aura marché dans les mêmes rues que Bibitsa. Elle marchera sur la plage d'où Bibitsa est partie avant de se retrouver exilée dans une île qu'elle ne connaissait pas.

«Un peu comme si je courais après le temps, je verrai ce qu'elle voyait, elle, quand elle avait le même âge que moi. Ce n'est pas un âge pour les révolutions.»
(Extrait du cahier rouge)

Chapitre 4

*Une maison abandonnée avec un jardin
qui vit, c'est tout de même plus joli.*

Six heures du matin, devant Ayvalik.
Clara a dormi tout le long du voyage, s'est
à peine réveillée lorsqu'il a fallu changer
d'autobus. Elle n'a rien vu, rien entendu.

Ayvalik, ville verte. Des arbres partout;
cela ne se voit pas dans l'île de Clara. Ici,
chose étonnante, les rues sont bordées
d'arbres et il passe entre toute cette ver-
dure des lambeaux de brume, il se mêle à
l'odeur des feuilles des effluves de port et
de poisson. C'est l'heure des pêcheurs. Le
petit port bouge déjà; Clara veut tout voir.
La lumière brille sur le flanc des poissons.
Derrière le port, le long des rues sinueuses,
de vieilles maisons de bois qui ont dû un
jour être riches, immenses.

Au bout d'une ruelle, presque aux limites de la ville, une de ces vieilles maisons plus jolie que les autres au fond d'un jardin de grenadiers. C'est la pension, où Clara s'empresse de déposer son sac avant de descendre au port, laissant ses parents la rejoindre plus tard. Rendez-vous dans le port à midi devant le restaurant Deniz.

> «J'ai l'impression de voir les choses à l'envers. Tout ressemble à mon île et à celle de Bibelas, au pays d'en face qui est presque devenu le mien, la terre, les montagnes, les fleurs, le bord de mer, tout est presque pareil. Je suis en face de chez moi, de l'autre côté d'une frontière. L'île d'en face, c'est celle de Bibelas. Je n'ai jamais été aussi proche de chez lui qu'aujourd'hui, mais je suis dans un autre pays. Avec pourtant la même mer et les mêmes vagues.»
> (Extrait du cahier rouge)

Clara marche jusqu'au bout du quai. Juste en face, c'est l'île de Bibelas. Elle pense une fois de plus à Bibitsa, le jour de son premier départ. C'est d'ici qu'elle est partie. Savait-elle où on l'emmenait? Et que connaissait-elle d'autre de cette île que son profil? Une masse de terre comme les autres

38

et c'est là qu'on l'avait déportée. Avait-elle eu le temps de faire ses adieux? Des adieux à qui?

«Soixante-dix ans avant moi, Bibitsa s'est retrouvée sur ce bout de quai, forcée de prendre un bateau pour déménager dans une île dont elle ne savait rien, sinon qu'elle l'avait vue de loin tous les jours de sa vie», se dit Clara.

Clara ferme les yeux pour tenter d'imaginer une petite fille de huit ans, puis la même petite fille à quatorze ans, arrachée à sa maison, à sa ville, à son décor, bousculée par des soldats. Elle la voit s'agripper à son père et à sa mère, embarquée de force dans un bateau qui prenait à l'époque des heures pour traverser le golfe.

Elle marche dans le port que Bibitsa a connu, dans la ville où elle est née, elle voit ce qu'elle voyait. La curiosité tourne au vertige. Clara a tout à coup l'impression que le temps tourne à l'envers.

Elle s'assoit au bout du quai, les pieds ballants. Lui reviennent à l'esprit des bribes de ce que son père lui a lu hier soir dans l'autobus avant qu'elle ne s'endorme. Ayvalik, les plus longues plages de Turquie et les meilleurs poissons du pays. «Il faut s'arrêter sur le quai pour contempler le coucher de soleil bleu lavande qui enveloppe lentement de son mystère l'île lointaine de Lesbos», a lu son père.

L'île de Bibelas. L'île à deux noms: Lesbos et Mytilène.

«En 1923, les Grecs partaient convaincus de revenir un jour et ils dissimulèrent leur or et leurs bijoux dans les murs ou cachèrent leurs trésors sous les lattes du plancher. Les nouveaux habitants n'eurent plus qu'à les découvrir.»

Quand son père avait lu ce passage, Clara avait frémi.

Ainsi donc, Bibelas n'a rien inventé. Bibitsa non plus. Clara lève les yeux sur l'île en contre-jour.

***

La maison de Bibitsa, Bibelas la lui a assez souvent décrite pour qu'elle la retrouve facilement. «C'est une grande maison qui domine la mer, au sud de la ville, sur une colline», avait-il expliqué.

La ville a dû changer; au sud, il y a peut-être bien d'autres maisons. Mais il ne peut sans doute pas y en avoir d'aussi vieilles puisqu'à l'époque, c'était la seule maison de la colline. Le meilleur moyen de trouver, c'est d'aller voir tout de suite.

***

Le vent glisse sur les joues de Clara. Elle suit le bord de la mer, enfonçant le talon d'un bon coup pour marquer le sable, se retournant chaque dix pas pour voir ses traces se remplir d'eau. Les yeux plissés pour éviter un million de reflets du soleil sur les vagues. La mer est turquoise. Turquoise, point. Comme on rêve de la voir. Si Ermis était là, ils feraient la course ensemble comme sur leur plage de sable noir. Ici, le sable est blanc à en faire mal aux yeux.

Montera-t-elle tout de suite sur la colline? Ferait-elle mieux d'attendre? «Attendre quoi, au fond?» se dit-elle.

Tout à coup, l'impression de pénétrer sur un terrain interdit, de contourner une défense, comme une espionne qui arriverait trop tard. Y a-t-il vraiment quelque chose à découvrir?

Même s'il n'y a plus de trésor, Clara veut voir la maison de Bibitsa. Pour rien. Pour voir. Parce que l'histoire de Bibitsa la fascine. Parce que très loin au fond d'elle-même, Clara Vic se dit qu'elle lui ressemble. «Et si moi, j'étais née ici, à la place de Bibitsa...?» Un coup de vertige. Clara ne comprend plus le temps.

Elle prend le premier chemin qui semble mener aux maisons de la colline. Elles se ressemblent toutes, bleues, certaines plus vertes, d'autres plus mauves, mais toutes d'un bleu passé très doux. Toutes, sauf une complètement décolorée, nettement plus ancienne que les autres, entourée de cyprès qui montent jusqu'au ciel.

«C'est sûrement celle-là», se dit Clara. À mesure qu'elle approche, elle ne peut que constater le terrible état d'abandon de cette maison qu'elle croit être la bonne. «Et si elle avait été démolie, celle que je cherche? songe-t-elle tout à coup. Est-ce que le médecin du village habiterait une ruine? Ou a-t-il tout simplement abandonné la maison?»

Du sentier, montent des odeurs de sauge. Partout des coquelicots. Clara ralentit le pas, inquiète de ce qu'elle pourra découvrir. L'émotion lui serre le cœur lorsqu'elle imagine tout à coup Bibitsa descendant ce même sentier pour la dernière fois. Bibitsa a respiré la même odeur de sauge. Elle a cueilli son dernier coquelicot. Peut-être est-elle partie de nuit, sans même les voir, les coquelicots. «C'est celle-là et pas une autre», décide Clara en arrivant en haut de la colline. Presque une ruine. Mais c'est tout de même la plus belle, même dans cet état d'abandon.

Un jardin vivant rempli de buissons de romarin, de pavots mauves, de bougain-villées et de glycines qui grimpent le long des murs avant de retomber sous le poids d'énormes grappes de fleurs. L'odeur étourdit. Le jardin est vivant, donc quelqu'un habite ici. Une maison à l'abandon avec un jardin tout frais au milieu duquel coule le faible jet d'une fontaine à tête de lion.

Le cri d'un paon la fait sursauter.

Un nuage passe devant le soleil, juste au moment où Clara va pousser la grille du jardin. «Un signe», se dit-elle. La crainte la fait frissonner l'espace d'une seconde. «Qu'est-ce que le médecin peut bien faire ici? La maison a l'air aussi inhabitée que ma maison bleue.»

La maison bleue de Clara, c'est un repaire pour elle et pour Ermis le chien, l'endroit où ils se retrouvent tous les deux après l'école. La maison bleue de Clara, c'est une vraie maison abandonnée puisque le jardin l'est aussi. Un jardin de mauvaises herbes, rempli d'odeurs sèches celui-là, avec une fontaine qui ne coule plus. «Une maison abandonnée avec un jardin qui vit, c'est tout de même plus joli», se dit-elle s'appuyant des deux mains à la grille du jardin.

Clara n'entre pas. Elle se contente d'admirer la maison. Tout au fond du grand jardin, bien cachée entre les murs (qui ont été blancs un jour?), entourée de cyprès, une maison étroite et haute. Trois étages. Et un palmier.

Non, Clara n'entre pas. Elle observe. L'élégance de la maison qui a des allures d'ancien château avec ses galeries et sa terrasse, son jardin et sa fontaine. Clara s'assoit par terre contre le mur et tourne la tête pour appuyer sa joue contre un barreau de la grille. Et l'escalier, celui du trésor? Est-ce celui qui monte à la terrasse ou un des escaliers intérieurs? La deuxième marche bien sûr, mais laquelle? La deuxième du haut ou celle du bas? L'escalier de la terrasse est un escalier sage. Il monte le long du mur écaillé, sans fantaisie, sans rampe, sans rien d'autre que des marches de pierre. Est-ce qu'on cache un trésor sous une marche de pierre?

Elle se relève doucement, les yeux rivés à la maison, prend le temps de respirer encore l'odeur des glycines que le vent de mer fait glisser vers elle et repart par le chemin des coquelicots. Elle a tout de suite envie de téléphoner à Bibelas et de lui dire: «J'ai trouvé la maison; c'est une vieille maison toute abandonnée. Mais quelqu'un y vit, c'est sûr, sinon il n'y aurait pas le jardin, il n'y aurait pas la fontaine, il n'y aurait pas de paon.»

Ce qu'elle n'écrit pas à Bibelas, elle le note dans son cahier rouge, ce soir-là, assise sous les grenadiers de la pension.

> «J'avais cru trouver une maison aussi étonnante que toutes les maisons de sultans que j'ai vues à Istanbul. Mais c'est une maison qui ne vit plus. Seulement son jardin. C'est triste à faire pleurer.»
> (Extrait du cahier rouge)

Chapitre 5

Il sait peut-être bien des choses
sur la maison de Bibitsa.

Clara court vers la plage, le lendemain matin, pressée de revoir le turquoise de la mer et le sable si blanc. Elle a eu tout le temps d'explorer la ville hier après-midi après sa visite à la maison de Bibitsa. Elle a sillonné les sentiers de pierre, suivi la grande rue qui mène au port, pris le temps de faire le tour des boutiques et du petit marché caché sous des auvents de toile verte, de découvrir aussi une mosquée au cœur de la ville. Petite à côté de celles d'Istanbul, mais aussi belle avec ses minarets piqués dans le ciel.

Hier soir en rentrant à la pension, Clara a remarqué un sentier parallèle à la mer qui court jusqu'à la colline. Un raccourci qui devrait mener chez Bibitsa. «Chez Bibitsa... songe Clara. Comme si je la connaissais.»

La mer est froide. Clara plonge, les dents serrées, puis se laisse dériver sur le dos, les yeux fixés sur la colline.

Clara observe Ayvalik blottie au fond de sa baie turquoise, cherche des yeux la vieille maison de la colline. «Si Bibitsa s'est retournée une dernière fois dans le bateau qui l'a emmenée à Mytilène, si elle s'est retournée pour voir ce qu'elle quittait, voilà ce qu'elle a vu», se dit Clara.

Pendant qu'elle revient au rivage à grandes brasses lentes, Clara sent pour la deuxième fois le vertige lui couper le souffle. Une fraction de seconde. Un coup. «Un coup de vertige, songe Clara. Comme si la mémoire de Bibitsa venait se superposer à la mienne. Comme si à force d'y penser, j'allais la voir apparaître. Pas la vieille Bibitsa que Bibelas a connue. L'autre. Celle d'ici, la Bibitsa d'Aïvali, juste un peu plus vieille que moi.»

Une fois sur la plage, Clara se dépêche d'enfiler sa robe. Le vent est doux, mais Clara claque des dents. «Trop longtemps dans l'eau glacée», se dit-elle. Elle décide de monter à la colline par le raccourci découvert la veille. Mais encore faut-il le retrouver.

Elle court pour se réchauffer, sur le sentier bordé de chardons.

– Iavach! fait soudain une voix devant elle.

– Pardon! dit Clara en s'arrêtant net.

Elle courait les yeux au sol; elle n'a pas vu venir l'homme habillé de gris de la tête aux pieds.

– Excusez-moi, mademoiselle, le sentier est si étroit...

Clara reste bouche bée: on lui parle français dans un sentier sauvage, à côté d'un village très loin de tout.

– Je ne vous avais pas vu, je m'excuse, dit Clara. Vous parlez français?

– Je parle treize langues, mademoiselle, dit doucement l'homme en gris. Un tout petit peu de chacune, mais le français beaucoup mieux que les autres. Je le parle assez pour vous faire, avec un immense plaisir, la conversation sur ce petit bout de chemin. Vous venez de la plage?

«Quelles phrases il fait! se dit Clara. Et quel étrange sourire.»

L'homme en gris lui demande si elle vient d'arriver.

Clara raconte d'où elle vient, pourquoi et depuis quand elle habite à Tinos, lui parle de ses parents, de son chien Ermis, de ses vacances à Istanbul et s'arrête, au moment où elle va parler de Bibelas. Une gêne? De la peur? Pourquoi ne lui parlerait-elle pas de Bibelas? Il sait peut-être bien des choses sur la maison de Bibitsa.

– Et que faites-vous à Ayvalik?

Clara explique qu'elle s'y est installée avec ses parents pour être près de Troie et de Pergame, à mi-chemin entre les deux, et pour pouvoir se baigner souvent.

– Je dois monter nourrir les bêtes, coupe l'homme. Je vous reverrai sûrement au marché. Au plaisir de vous rencontrer une autre fois. Si vous voulez bien.

Il se retourne aussitôt pour remonter le sentier, laissant Clara figée sur place: il vient de tourner pour prendre le raccourci qui mène à la colline. Si c'était lui le médecin? Non, il n'aurait pas ce vieux pantalon gris et ce vilain chandail qui avant d'être gris aurait pu être de n'importe quelle autre couleur. Ni de sandales aux pieds.

«Il a des yeux tout tristes, mais qui pétillent. Il a des yeux à reflets, ni bleus, ni verts, avec des petites taches d'or comme des paillettes. Il marche en se tenant droit, la tête un peu penchée, comme s'il était très fatigué. Un curieux sourire. Pas beaucoup de cheveux. Si c'est lui le médecin, il faut que je le revoie. Absolument.»
(Extrait du cahier rouge)

50

***

Clara revient sur ses pas jusqu'à la plage. Elle n'a pas osé suivre l'homme en gris jusque sur la colline. Si par hasard il habitait la vieille maison, qu'est-ce qu'elle lui aurait dit?

Couchée sur le sable blanc, à la limite des vagues qui viennent une fois sur trois lui lécher la peau, Clara fixe l'île de Bibelas.

«Si tu étais là, Nassos Bibelas, je te raconterais tout à mesure. Mais je ne peux pas. Je ne peux pas t'écrire que le médecin a l'air très bizarre et qu'il parle français. D'abord, je ne sais même pas si c'est lui, le médecin. Je tire des conclusions sans rien savoir. Il peut habiter n'importe laquelle des maisons de la colline. Il m'a dit qu'il allait nourrir les bêtes. Et je n'ai pas vu de bêtes dans le jardin de la vieille maison. J'ai entendu un paon, c'est tout. C'est le plus beau jardin du monde, Bibelas, et si c'est vraiment celui de Bibitsa, elle a dû y être très heureuse.»

(Extrait du cahier rouge)

Clara revient doucement vers la maison, croise une dame qui lui fait des signes et des sourires, qui lui tend avec un petit hochement de tête une poignée de raisins séchés. La dame descend vers le port, pieds nus, son panier de raisins sur la hanche.

Ce soir-là, Clara n'écrit pas encore à Bibelas. Elle prend plutôt le temps d'expliquer à ses parents qu'elle a sans doute repéré la maison de Bibitsa et qu'elle aimerait bien y retourner demain avec eux.

– Demain, on va à Troie, Clara. Tu as oublié le cheval? demande son père.

Oui, Clara l'avait complètement oublié.

Elle va s'asseoir sous les grenadiers, la tête remplie d'images de ce qu'a pu être l'Ayvalik de l923.

Si les grenadiers étaient en fruits, elle prendrait le temps d'en ouvrir un le plus doucement possible pour ne pas briser les perles rouges, et y mordrait lentement pour le plaisir de faire éclater les grains à coups de langue derrière ses dents. Mais les grenadiers commencent à peine à faire des fleurs.

La mer prend des teintes sombres et vire à l'indigo. Le soleil se couche derrière chez Bibelas. Il fait assez doux pour aller marcher un peu avant souper.

Le traversier entre au port, elle l'entend. Il lui faudrait Ermis, il lui faudrait

Nassos, pour sentir quelqu'un tout près, avec elle sous les grenadiers. L'émotion qu'elle éprouve chaque fois qu'elle pense à Bibitsa trouverait un chemin de sortie. Il lui faudrait Nassos pour parler des coups de vertige, comme d'un coup de cœur.

Chapitre 6

*Cette fois, c'est dans les bras de l'homme
en gris qu'elle monte
jusqu'à la maison de Bibitsa.*

Comme il le lui avait dit, l'homme en
gris la rencontre au marché le lendemain
matin. Elle est descendue très tôt acheter
des oranges, du pain et du lait pendant que
ses parents dorment encore.

– Bonjour, jeune fille, dit-il.

Il a un peu l'accent d'Aléko, le coiffeur
de Tinos, quand Clara essaie de lui faire
parler français.

– Bonjour.

L'homme en gris lui tend subitement un
bouquet de fleurs, sans dire un mot, la
fixant de ses yeux à reflets, son étrange
sourire qu'on dirait accroché de travers.

– Vous aimez les fleurs?

– Beaucoup. Merci, répond Clara.

– Vous aimez les jardins? demande-t-il.

– Aussi. J'en ai un très sauvage, dit-elle en songeant au jardin de sa maison bleue avec son dallage en damier de galets noirs et blancs, ses palmiers plus hauts que la maison, ses ronces et ses chardons qui courent le long des murs.

– Alors, montez avec moi, je vous montrerai le mien, dit l'homme en gris, en plissant les yeux.

«Ce n'est peut-être pas le vôtre, pas du tout le vôtre, gronde le cœur de Clara. C'est peut-être celui de Bibitsa. Mais je monterai, c'est sûr, ne vous en faites pas. Je ne laisserai pas passer une occasion pareille. Même avec mon sac d'oranges et le pain.»

– Mais je n'entre pas, ajoute Clara à voix haute. Je pars pour Troie à neuf heures.

Clara sent battre ses veines. L'impression d'avoir le cœur qui tremble. «Qu'est-ce que je fais ici? se demande-t-elle. Je marche derrière un parfait inconnu qui devrait être médecin. Il a l'air gentil, oui, mais quelque chose m'agace. Non, ça ne peut pas être lui, le médecin.» Clara se répète pour la centième fois qu'il n'a rien à voir avec le trésor qu'elle cherche ni avec Bibitsa, qu'il habite à côté de la vieille maison, que c'est sans doute le jardinier de quelqu'un qui habite sur la colline. Ou le jardinier du médecin?

Pendant qu'elle marche à côté de l'homme en gris sans vraiment écouter les phrases cocasses qu'il fait pour lui parler de ses fleurs et de ses bêtes, son âne, sa chèvre et son paon, Clara s'obstine à se dire qu'elle trouvera bien grâce à lui une façon de pénétrer dans la vieille maison. Si elle pouvait s'en faire un allié, s'il pouvait l'aider à rencontrer le médecin, s'il pouvait au moins la faire entrer dans le jardin.

– Attention! La pierre...

Clara n'a rien vu. Elle s'écrase lourdement sur sa cheville malgré la main de l'homme en gris qui tente de la retenir, pendant que la pierre continue de rouler entre les fleurs jusqu'à la mer. Le ciel bascule au-dessus de Clara, elle manque d'air et n'arrive plus à distinguer clairement les petits points d'or dans les yeux de l'homme qui se penche sur elle. Elle voit ses lèvres remuer, mais n'entend plus un son. Le ciel s'assombrit jusqu'au noir total.

***

Elle pousse un cri avant d'ouvrir les yeux.

– N'ayez pas peur, dit l'homme en gris.

Vif, il a les gestes qu'il faut, précis,

doux, efficaces. Il palpe lentement la cheville de Clara.

– Et si ça fait plus mal, vous pouvez crier, ça ne fait rien, ajoute-t-il en souriant.

«Il a le don de sourire en ayant l'air sérieux», songe Clara en le regardant.

Clara respire à fond pour ne pas sentir sa cheville qui élance. Tout à coup, son cœur se remet à battre très fort: il faudra bien qu'elle aille voir un médecin, et de médecin, il n'y en a pas cinquante dans une si petite ville. Elle ferme les yeux et sourit toute seule malgré sa cheville qui fait de plus en plus mal, en pensant que bientôt, elle verra le médecin. Elle doit le voir. Elle aura tout le temps de lui poser les questions qu'il faut, de vérifier les détails de l'histoire de Bibelas (de fouiller la maison peut-être?) pendant qu'il sera occupé à soigner quelqu'un d'autre. Clara se voit déjà prendre des airs de martyre, se plaindre de sa cheville bien plus qu'il ne faudrait, pour gagner du temps. Et s'il ne parle pas autre chose que le turc? S'il faut un interprète?

L'homme en gris, l'air grave, s'assoit lentement à côté de Clara sur le bord du sentier.

– Fracture, jeune fille, affirme-t-il.

Clara frissonne des pieds à la tête. Elle n'en demandait pas tant, une foulure aurait suffi.

– N'ayez pas peur, je suis médecin.

Le dernier mot se fixe dans sa tête. Troisième coup de vertige.

«Fracture. Il est médecin. Fracture. Il est médecin.» Clara regarde l'homme sans pouvoir dire un mot.

– Non, n'ayez pas peur, cela me semble être une très belle fracture.

«C'est lui, c'est donc lui, c'est lui le médecin qui habite chez Bibitsa. Je le savais. Je le savais. Je le savais. Et qu'est-ce que je fais, maintenant?» répète-t-elle au fond de sa tête pendant que le soleil du matin achève de l'éblouir.

***

Cette fois, c'est dans les bras de l'homme en gris qu'elle monte jusqu'à la maison de Bibitsa. En silence. Il souffle sous l'effort. «Il n'a plus l'âge de porter quelqu'un dans ses bras», se dit Clara.

C'est entre ses bras qu'elle traverse le jardin, encore plus beau de l'intérieur, qu'elle fait ainsi la connaissance de la chèvre, de l'âne et du paon, qu'elle monte l'escalier qui mène à la terrasse puis dans un grand salon.

«Je viens peut-être de passer au-dessus du trésor de Bibitsa, si c'est dans cet escalier-là qu'il se trouve...»

Clara se laisse déposer sur un large fauteuil à coussins, toute mollette comme quand son père la portait dans son lit.

– Je peux vous demander votre nom? demande Clara d'une toute petite voix.

– Mon nom? Je m'appelle Kamil. Kamil Koç. Et vous?

– Moi, c'est Clara Vic.

– Eh bien, ma petite Clara, je pense qu'il faudra vous plâtrer la jambe.

– À l'hôpital?

– Non, fait l'homme en gris en souriant. Il n'y a pas d'hôpital ici, juste une petite clinique. Mais j'ai toujours tout ce qu'il me faut à la maison, ne vous inquiétez pas.

– Sans radiographie?

– Oh! Vous savez, dans un endroit comme ici, c'est avec les doigts qu'on fait les radiographies. Votre cheville est bien cassée. Je veux dire que c'est très net et que cela va se replacer très vite et très bien. Je vais vous faire tout de suite un plâtre. S'il y a un problème, il y a toujours la clinique. Mais il n'y aura pas de problème. Je vais faire avertir vos parents par la voisine, ils viendront vous chercher. Tout va bien aller, ma petite Clara, tout va bien aller.

Quel étrange sentiment! Un mélange de larmes qui montent aux yeux, de fou rire sur le point d'éclater et de très grande tristesse.

Écrire vite à Bibelas qu'elle se fait plâtrer la jambe dans le salon de ses ancêtres, au lieu d'aller voir le cheval de Troie.

– Vous avez confiance? demande Kamil Koç en caressant doucement le front couvert de sueur de Clara. Vous n'avez pas trop mal? Je vais chercher ce qu'il faut.

Il disparaît par une haute porte au fond de la pièce.

«Je l'ai épuisé», se dit-elle. Combien d'escaliers peut-il y avoir dans cette maison? Il faudra demander à l'homme en gris de lui faire faire le tour de la maison pour en découvrir tous les escaliers. Surtout, il lui faudra trouver le bon prétexte pour revenir ici toute seule et fouiller la deuxième marche (celle du bas et celle du haut) de chacun des escaliers. Tout ça avec une cheville plâtrée.

Clara s'habitue peu à peu à la douleur. Sa cheville pèse, on dirait une jambe de bois qui produit de la chaleur par l'intérieur. Un gros pied, un énorme pied au bout d'une jambe qui ne sait plus comment bouger. La douleur s'égalise.

L'homme en gris revient avec un grand bol d'eau et les rouleaux de toile à plâtre, un verre d'eau et une petite pilule rose.

– Prenez, pour calmer, dit-il d'un ton sans réplique.

Clara obéit. Dès qu'il touche sa cheville,

la douleur revient, aussi pointue que tout à l'heure. Elle ferme les yeux.

L'homme se met à chanter d'une voix profonde et sourde à la fois de longues notes tristes qui semblent venir d'un autre siècle ou du fond de l'histoire du monde.

«Qu'est-ce que je fais ici? se demande encore une fois Clara. Qu'est-ce que je fais dans la maison de Bibitsa avec une jambe qui ne fonctionne plus, le cheval de Troie éliminé, un médecin qui ne ressemble à rien ni à personne et qui me chante les plus belles chansons du monde. Bibelas, je te le jure, j'aurais dû rester chez moi avec Ermis...»

Chapitre 7

*Tu te rends compte que sans la frontière
entre la ville où je suis et ton île,
ce serait le même pays?*

«Mon cher Nassos,

Ce soir, je t'écris longtemps. J'ai le temps puisque je ne peux pas encore marcher.

Il faut absolument que tu voies cette maison un jour. Je n'ose pas prendre de photos, c'est trop intime. J'ai beau être venue ici chez mon médecin, c'est tout de même dans la maison de ta famille qu'il a pris soin de moi, qu'il m'a soignée. C'était beau, chez ton arrière-grand-mère, mon cher violoncelle! Je n'ai jamais, de toute ma vie, vu des plafonds aussi fous. Il y a de tout, là haut. Et je dis «là-haut» parce que les plafonds sont sûrement à quatre mètres. Des moulures avec des tonnes de dessins, on dirait un musée. Des scènes de bataille, des bergers dans les pâturages, des dieux (probablement) qui font un festin grandiose, il y a de tout sur le plafond. Dans les murs, les fenêtres s'enfoncent. Je te jure, les murs doivent avoir l'épaisseur de tes deux bras ouverts. Des fenêtres très hautes. Des planchers de bois et d'ardoise. Et partout, je te dis partout, des grands fauteuils qui sont comme des lits et qui font tout le tour d'une pièce. Avec des tissus colorés à rayures. Beaucoup de bleu et de vert. Et tout ça, c'est vieux, vieux comme on ne peut pas imaginer.

C'est dans ce drôle de décor que vit le médecin, tu avais parfaitement raison. Sauf qu'il n'a pas l'air d'un médecin et que la maison n'a plus rien de digne comme au temps de ta famille.

Je ne sais pas de quoi il vit, au juste. Il ne veut absolument pas que mes parents le paient pour les soins qu'il me donne. Il dit que c'est un service qu'il a rendu à une amie et que de recevoir de l'argent lui briserait le cœur. En fait, il a dit que cela lui tuerait le cœur.

Partout dans la maison, à part les vieilles choses qui doivent avoir appartenu à Bibitsa et à ses parents, il n'y a presque rien. On dirait que personne ne vit ici. Pour monsieur Kamil (il s'appelle monsieur Kamil), je crois qu'à part le jardin et les animaux, il n'y a rien d'important. Sauf quelque chose de secret dont il ne veut pas parler.

J'ai l'impression qu'il fabrique toutes les choses dont il a besoin avec des trucs brisés qu'il récupère. Quand il va au marché, il ramène toujours avec lui un objet qui ne fonctionne plus, m'explique-t-il. Il sait toujours comment le réparer et quand ça fonctionne, il dit que c'est l'évidence: il ne faut jamais rien acheter de neuf.

Je continuerai demain, c'est l'heure de manger. Et je suis fatiguée.»

«Suite.

Monsieur Kamil passe à la maison deux fois par jour pour vérifier l'état de ma cheville. Il parle pendant des heures.

Aujourd'hui, j'ai essayé une sorte de tactique. Il faut que je fasse quelque chose. Comme je meurs d'envie de faire des photos pour te montrer la maison, j'ai dit à monsieur Kamil qu'il avait beau tout savoir réparer, il ne serait sûrement jamais capable de réparer un appareil-photo si l'envie lui prenait de faire des photos de sa maison et de son jardin. Il m'a regardée, toute la tristesse du monde flottant dans ses yeux à reflets et il m'a dit: «Les photos, Clara, pour moi, ce n'est plus nécessaire. J'ai les photos qu'il me faut. Dans ma tête. Un jour, je vous les montrerai peut-être.» De quoi veut-il parler? C'est ça, le secret qui le rend si étrange, tu comprends? Ça me gênait terriblement de lui demander si moi, je pouvais faire des photos de la maison. Mais on dirait qu'il devine tout. Il m'a dit que je pourrais faire toutes les photos que je veux, à condition que je n'en prenne pas trop de lui parce qu'il est trop vieux et qu'il abîme les pellicules. Je ne sais pas quel âge il peut avoir. Soixante? Un petit peu plus? Suite plus tard. Il faut que je fasse un exercice de béquilles. Ce n'est pas si facile qu'on croit marcher sur des routes de terre avec ces trucs-là. Je ne sais pas comment je vais y arriver.»

«Suite.
Évidemment, comme tu t'en doutes, nous allons passer ici plus de temps que prévu. Pour que je profite un peu plus des vacances, dit mon père.

Je viens de penser à quelque chose, Bibelas. Je vais donner ma lettre au capitaine du traversier pour Mytilène, c'est plus simple que de passer par la poste qui doit acheminer ma lettre à Istanbul, d'Istanbul à Athènes et d'Athènes à chez toi. Ça prend deux heures par le traversier au lieu de... Fais le calcul toi-même.

Clara»

***

«Mon cher Nassos,

Je continue parce qu'il y a encore mille choses à te dire. D'abord, que je suis convaincue que les chansons que chantent monsieur Kamil doivent être les mêmes que te chantait ta Bibitsa. Tu te rends compte que sans la frontière entre Ayvalik et ton île, ce serait le même pays? Le même ciel, les mêmes fleurs, la même mer, le même fond marin, les mêmes poissons. Les mêmes poissons pêchés par des pêcheurs de deux nationalités différentes qui se sont fait la guerre pendant des siècles et qui se regardent encore aujourd'hui avec des airs de méfiance.

Quand Kamil chante, j'ai l'impression qu'il me raconte l'histoire du monde. Il chante de plus en plus. On dirait même qu'il chante pour ne pas avoir à parler. Aujourd'hui, il est resté très longtemps. Il a dit que je pourrais essayer de marcher demain sans béquilles. La fracture est parfaite comme il l'avait dit. Ça ne fait plus mal. Ce qui me rend très triste, c'est de ne plus pouvoir plonger dans cette mer turquoise que je partage avec toi.

Il me raconte aussi des histoires. Je n'ai pas encore osé lui demander s'il connaît l'histoire de sa propre maison. Je t'avoue que la course au trésor me tente un peu moins depuis que j'ai la cheville en miettes. Et puis, comme il devient l'ami de la famille, j'ai moins envie d'aller le dévaliser. Qu'est-ce que tu penses?

Il m'a raconté des histoires terribles. Des histoires de tremblements de terre. Il y en a souvent ici. Pas tellement sur la côte. Surtout au centre du pays et à l'est. De gros tremblements de terre où des villages entiers disparaissent. Quand il en parle, monsieur Kamil a les larmes aux yeux. Les photos au fond de sa tête, ce sont des photos de tremblements de terre, j'en suis sûre. Il a dit qu'il donnerait tout ce qu'il possède pour empêcher les enfants de chercher leurs parents sous les murs des maisons, et les parents de faire la même chose. Que les tremblements de terre font éclater les familles en petits morceaux et qu'ils enterrent la vie. Que quand tu as perdu quelqu'un que tu aimes, quand la terre l'a avalé, c'est comme s'il te manquait un bras ou une jambe ou un œil. Il a dit aussi qu'on ne remplace jamais quelqu'un, que les vides sont des trous qu'il ne faut pas essayer de combler, ça ne donne rien.

Comme je ne reçois pas de lettre de toi, je pense que tu dois être quelque part en concert ou que la poste est bien lente. N'oublie pas le capitaine du traversier,

c'est très pratique.
Je t'embrasse.

Clara

P.S. J'ai acheté une toupie pour Ermis.»

***

«Mon grand Bibelas,
Les gens sont vraiment très gentils. Je
suis allée au marché et tout le monde m'a
offert quelque chose. C'est un peu comme
à Istanbul quand la rue se cachait sous les
tentes blanches. J'apprends à dire quelques mots, mais c'est une langue cent fois
plus difficile à apprendre que la tienne. Ce
matin, je suis revenue avec des oranges, du
persil, de l'agneau, une brioche pleine de
noix, du jus d'amande et des loukoums.
Comme je ne peux pas porter de sacs avec
mes béquilles, le petit garçon de la dame
des oranges a porté les sacs jusqu'à la pension. Il devait bien y en avoir deux kilos. Je
ne peux rien payer, on me donne tout ce
que j'ai le malheur de regarder.
Je vais monter voir monsieur Kamil cet
après-midi. C'est la première fois que j'y retourne depuis la fracture. Je te raconterai
plus tard. Je vais apporter l'appareil-photo,
on ne sait jamais.

Clara

P.S. Je marche vraiment mieux. Je me fatigue moins. Il faut oublier Pergame et le cheval de Troie. Un peu déçue, tu sais. Mais on reviendra.»

* * *

Chapitre 8

*Bibitsa devait avoir le même regard
lorsqu'elle a regardé Ayvalik
pour la dernière fois.*

Monsieur Kamil est passé vers midi
juste avant que Clara ne se décide à monter chez lui. Il est allé s'asseoir avec elle
sous les grenadiers.

– Si j'avais su te rattraper à temps, tu
ne serais pas tombée et tu aurais de vraies
vacances, dit-il l'air plus triste que les
autres jours, plus fatigué aussi.

– Mais non, monsieur Kamil, ce n'est la
faute de personne.

«Il me tutoie, aujourd'hui», se dit Clara.

Clara n'ose lui avouer que l'accident lui
permet de se rapprocher sans crainte du
trésor de Bibitsa. Elle peut prendre le temps
de chercher sans jouer au cambrioleur.

– Les tremblements de terre non plus, ce n'est la faute de personne, et pourtant! dit monsieur Kamil d'une voix dure.

– Vous pensez toujours aux tremblements de terre? demande Clara.

– Oui. Oui, tu as raison. Je pense toujours aux tremblements de terre. Vois-tu, ma chère Clara, depuis des années, j'économise le moindre sou, et je cherche tous les moyens de ne jamais dépenser d'argent, pour les enfants des tremblements de terre. Je t'ai dit qu'ici il y en a beaucoup. Très souvent, j'ai été appelé pour aller aider les équipes de secours. Chaque fois, j'ai trouvé des enfants sans parents, des parents sans enfants, des vieilles dames de quatre-vingt-dix ans qui cherchaient leurs enfants de soixante-dix ans, des enfants tout petits qui cherchaient leurs petites mères de vingt ans.

La voix de monsieur Kamil se fait de plus en plus sourde.

– Il faut savoir, ma Clara, que même à quarante ans tu seras toujours une petite fille dans le cœur de ton père, et dans celui de ta mère. Les enfants des tremblements de terre cherchent avec leurs ongles, fouillent le sol avec leurs mains, écoutent le silence à la recherche d'un appel. Les parents pleurent, certains appellent, d'autres se taisent. Jamais on ne voit de regards comme les leurs. Ce sont des regards d'éternité. Excuse-moi, je t'embête avec mes tristes histoires.

– Non, monsieur Kamil.

– Je m'emporte, je m'inquiète dès que je pense à cette planète si étrangement construite, aussi fragile que n'importe quel être humain qui l'habite, à la merci de ses propres humeurs et de son caractère plein de surprises. Bien sûr, il y a des malheurs tout le tour de la planète. Mais je vous jure, Clara («Il me vouvoie comme avant...»), que je n'ai jamais souffert autant que dans ces moments où je soignais les enfants trouvés sous les décombres. Depuis, je récupère, je rafistole, pour garder en réserve la moindre économie. Je suis trop malade pour travailler à la clinique. Je suis vieux, Clara. Et le temps qu'il me reste, je m'en sers pour aider les enfants qui ont senti la terre trembler.

– Je vous crois, monsieur Kamil, dit Clara dans un souffle, bouleversée par le regard de ses yeux à reflets où vient de passer la plus grande tristesse du monde.

«Bibitsa devait avoir le même regard lorsqu'elle a regardé Ayvalik pour la dernière fois», se dit Clara.

***

Lorsqu'elle sort vers cinq heures pour aller marcher dans la ville avant de souper chez Deniz, un taxi traverse le port en trombe. À l'arrière, la tête renversée sur le siège, Clara reconnaît le médecin.

Elle s'étonne, elle s'inquiète. Où va monsieur Kamil? Pourquoi le taxi file-t-il à cette allure? Elle ira le voir demain.

Elle descend au traversier, au cas où Bibelas lui aurait fait parvenir une lettre par le capitaine. Pourquoi Bibelas n'a-t-il pas encore donné signe de vie?

L'air est doux. On entend, de la colline, l'âne et le paon de monsieur Kamil. Son départ les aura affolés?

Au traversier, pas de lettre. «S'il était parti en tournée, il me l'aurait écrit! Qu'est-ce qui se passe? Un concert inattendu? Où est passé Bibelas?»

Clara marche le long du quai en se disant qu'elle ira demain sur la plage, qu'elle se couchera, le plâtre en l'air, dans les premières vagues. Elle donnerait n'importe quoi pour marcher sur ses deux pieds.

***

– Mademoiselle Clara? fait une voix dans son dos.

Elle tourne vivement la tête.

– Excusez-moi, je viens de la part de

monsieur Koç qui m'a demandé de vous remettre ceci. Il a dû partir très vite. À cause
de sa maladie. Il m'a confié sa lettre parce
que je suis le seul à part lui à parler votre
langue. Je crois... Je suis le directeur de
l'école.

– Merci, s'empresse de répondre Clara
en prenant l'enveloppe que lui tend le directeur de l'école.

Elle voudrait bien demander de quoi
souffre monsieur Kamil, mais n'en a pas le
temps. Le directeur repart aussi vite qu'il
est venu.

***

Clara ouvre vite l'enveloppe. En grandes lettres violettes sur le papier gris: « À
remettre entre les mains de mademoiselle
Vic». Mademoiselle Vic.

Elle déchire l'enveloppe d'un coup de
dents pour ne pas perdre l'équilibre. Une
feuille, une seule.

«Ma chère Clara,

J'ai dû partir d'urgence pour l'hôpital
d'Izmir. C'est un peu loin, mais ne vous inquiétez pas, je reviendrai très vite. Puis-je
vous demander d'aller nourrir les bêtes et
de vous occuper du jardin? Je vous le demande à vous parce que je sais que vous

aimez les jardins. La maison n'est jamais fermée. Je ne possède rien d'important. Qui viendrait voler le peu que je possède? Je laisse tout ouvert au cas où les gens de la clinique auraient besoin de matériel médical d'urgence.

Profitez de mon absence pour faire les photos que vous voulez tant faire. N'ayez pas peur du paon, il crie très fort, mais il a le cœur tendre.

À bientôt,

Kamil Koç»

«Le paon a le cœur tendre!» se dit Clara. Elle sourit toute seule: elle a le champ libre, le temps de fouiller tous les escaliers de la maison. Mais est-ce qu'on va fouiller chez quelqu'un comme monsieur Kamil, chez quelqu'un qui met en vous toute sa confiance?

«Je trouverai bien une façon de lui expliquer mon histoire de trésor», se dit Clara. Elle plie l'enveloppe et la glisse dans la poche de son short.

Chapitre 9

Où cache-t-on un trésor quand on sait sa vie piégée, quand on sait que l'ennemi nous traque, quand on part sans espoir de retour?

L'âne la regarde de ses beaux yeux tristes, pousse un grand cri et souffle comme s'il venait de traverser la mer à la nage. Le paon s'est caché; il a le cœur trop tendre? La chèvre s'approche, baisse la tête et attend, comme si elle savait que Clara venait la nourrir. Il est encore tôt. Les bêtes ont-elles vraiment faim? Il n'a pas dû avoir le temps de leur donner à manger avant de partir, tout a dû se faire très vite.

Clara trouve au fond du jardin le fourrage et les gâteries réservées aux animaux.

«Voilà, voilà, les bêtes... Et le paon, où il est? Je lui laisse ce qu'il faut ici. Toi, la chèvre, tu lui diras. Oh, il trouvera bien tout seul.»

D'abord, les photos pour Bibelas? Non, avant, le trésor. Malhabile, Clara monte tous les escaliers les uns après les autres, frappant la deuxième marche du bas et la deuxième du haut de chacun, tendant l'oreille à l'affût du son creux qui livrerait le secret du trésor.

Rien à tirer de l'escalier extérieur: les pierres sont soudées les unes aux autres, pas le moindre indice d'une cachette. Où cache-t-on un trésor quand on sait sa vie piégée, quand on sait que l'ennemi nous traque, quand on part sans espoir de retour? Clara n'en a pas la moindre idée. Des deux escaliers intérieurs, elle n'obtient pas plus de résultats.

Appuyée de tout son poids sur ses béquilles, elle parcourt du regard la grande pièce du bas. Elle a fait le tour de la maison, elle s'est aventurée à l'arrière. Rien. Rien de plus que les deux escaliers intérieurs et celui, extérieur, qui mène à la terrasse.

Et si le trésor n'était pas caché dans une marche de l'escalier? Si Bibitsa s'était trompée? Où cache-t-on un trésor? Dans un mur, dans un grenier, dans une cave... Une cave?

Tout à coup, lui revient cette phrase que Bibitsa répétait souvent à Bibelas: «Il ne faut pas chercher trop haut, mon petit

Nassos. C'est le contraire qu'il faut faire si on veut vraiment trouver. Il faut chercher le dessous des choses.» Bibitsa lui avait dit cette phrase souvent, très souvent, en regardant le vide, les yeux plissés comme si elle parlait à quelqu'un qui se serait trouvé à des kilomètres. Bibelas l'avait raconté à Clara la dernière fois qu'ils s'étaient vus et il avait dit: «Tu vois, elle ne disait jamais rien comme personne.»

«Le dessous des choses...» Une cave! Une espèce de sous-sol ou un souterrain? Les maisons riches avaient souvent des souterrains pour échapper aux pirates et aux contrebandiers. Lui revient à l'esprit le texte que son père a lu, la semaine dernière, dans l'autobus entre Istanbul et Ayvalik:

Ils dissimulèrent leur or et leurs bijoux dans les murs ou cachèrent leurs trésors dans les lattes du plancher...

Il faut trouver une trappe. C'est sous la maison que se trouve le trésor. On cache les trésors dans les greniers ou dans les caves, dans les murs ou sous les planchers. Ou dans les endroits les moins surprenants. Mais dans ce cas-ci, il s'agit d'un escalier. Bibitsa l'a dit.

Vite, Clara arpente le plancher du rez-de-chaussée, soulevant les nombreux tapis aux teintes passées depuis toujours, râclant du bout de sa béquille le moindre morceau d'ardoise. Rien, rien qui ait l'air d'une trappe.

«Et si monsieur Kamil revenait? Non, Izmir, c'est assez loin. Il ne reviendra sûrement pas avant demain, surtout s'il est très malade.»

Clara s'approche de la fenêtre qui donne sur la mer et contemple une fois de plus l'île immense où vit son Bibelas. Elle se laisse tomber dans un des grands fauteuils, fatiguée d'avoir passé tout ce temps debout.

Tout à coup, l'idée claire.

«C'est sous les fauteuils qu'il faut chercher!» Clara se relève. Des fauteuils, il y en a tout le tour de la pièce. De grandes sections carrées où on pourrait tout autant s'asseoir que se coucher. Sur le mur du fond, le fauteuil est fixe, bâti à même le mur. Clara essaie de tirer ceux des côtés. Même construction, même ancrage au mur. Sauf... Sauf qu'une section du grand fauteuil de gauche veut bien bouger. Un peu, rien qu'un peu.

Clara sent son cœur battre comme avant les coups de vertige. De toutes ses forces, elle tire la seule section qui semble vouloir se détacher des autres. Lentement. Très lentement.

Clara frissonne comme si la maison allait s'effondrer sur elle, comme si quelque chose de terrible la menaçait tout à coup. Elle respire à fond pour éviter un nouveau coup de vertige et tire le fauteuil loin du mur vers le centre de la pièce.

C'est là, derrière le fauteuil qui a osé bouger, qu'elle découvre un anneau fiché dans un carré d'ardoise. Une trappe dissimulée par soixante-dix ans de poussière.

La trappe est lourde, mais Clara prend son temps. Elle parvient à la soulever, à la caler avec une des deux béquilles, à soulever encore et finalement à la faire basculer complètement.

L'odeur! Des années d'humidité et de moisissure lui font tourner la tête.

À plat ventre sur le bord de la trappe, elle laisse retomber ses bras dans l'ouverture, épuisée.

«De quoi j'ai l'air? Si monsieur Kamil me voyait...»

Si quelqu'un entrait tout à coup? La voisine, un ami de monsieur Kamil? Le découragement s'estompe vite et c'est un fou rire que rien ne retient qui secoue Clara.

«Si quelqu'un me voyait, à plat ventre derrière le fauteuil, la cheville plâtrée, les béquilles par terre, la tête au bord d'un trou noir... Oh! Clara Vic! Qui t'a donné de pareilles idées! Bibelas. Bibelas!»

Tout à coup, comme le vent qui vire, le

cœur de Clara passe au noir.

Bibitsa revient comme un fantôme.

L'image de Bibitsa, une nuit de 1923. Bibitsa agenouillée à côté de son père, ici, juste au bord de la trappe, surveillant les gestes de l'homme et lui tendant un à un les objets à cacher. Bibitsa affolée, effrayée par la guerre, terrorisée par les soldats qui rôdent partout dans Aïvali.

Clara frissonne encore. Sous la dalle, quelques marches disparaissent dans l'obscurité la plus totale. Des marches de marbre, lisses, silencieuses, impénétrables.

La deuxième marche. «Celle-ci, c'est celle du trésor», se dit Clara. Elle tente de faire bouger le marbre. Rien ne bouge. S'avance un peu plus pour voir où disparaît ce gouffre. Non, ce n'est pas un gouffre, mais l'entrée d'un souterrain. Clara a compris très vite. Elle frissonne et serre les dents.

«J'aurais dû le prévoir, se dit Clara. Si c'est la deuxième marche du haut, ça va, j'y vois un peu clair. Si c'est celle du bas, il faudra que je revienne avec des chandelles.»

Les marches de marbre grossièrement taillées sont déposées comme des couvercles sur de grosses pierres.

C'est trop. Bien trop lourd. Clara laisse pendre ses deux bras dans l'ouverture noire.

Le marbre est doux, lisse et froid. Mémoire fermée. Lisse et dur comme un objet tout neuf.

C'est la main curieuse de Clara qui glisse jusqu'au bout de la marche silencieuse...

C'est la main de Clara qui découvre sans vraiment s'en rendre compte un renfoncement dans le mur de pierre, juste au bout de la marche de marbre.

C'est la main de Clara qui, sans le savoir, touche quelque chose. Bref reflet métallique dans le noir total. Quelque chose. Quelque chose dans la pierre du mur.

Le trésor. Sans rien y voir que des ombres d'objets, de cahiers et de papiers, sans prendre le temps de regarder, elle retire tout ce qu'elle touche. Le souffle court, l'émotion au bout des doigts, Clara fouille le trésor de Bibitsa. La dague!

«La dague! Elle avait raison, elle a toujours eu raison, Bibitsa.»

Clara s'assoit, tenant entre ses mains tremblantes une dague de l'époque des grands sultans, couverte de pierres bleues et vertes, et d'autres transparentes qui ne peuvent être autre chose que des diamants. Et d'autres choses aussi étonnantes...

***

Clara referme doucement la trappe, replace le fauteuil, ajuste les tapis et reprend son souffle. On ne devinerait jamais que la grande pièce a été fouillée. Non. Tout est à sa place, sauf que sur les tapis s'étalent pêle-mêle les pièces d'un trésor. Clara parcourt la pièce du regard, immobile au milieu d'un étonnant silence.

«Qu'est-ce que je vais faire de tout ça?» murmure-t-elle. Des théières d'argent, des assiettes, des chandeliers, toute l'argenterie de la riche famille Bibelas, des coupes d'or, et la dague. Des colliers, des anneaux, une montre très ancienne, et des monceaux de papiers couverts de minuscules caractères grecs et de chiffres, papiers officiels à tampons, portant des sceaux rouges et dorés.

Extasiée, Clara Vic. Elle a réussi. Elle a tout le trésor. Elle a bien vérifié du bout de sa béquille: la cachette était vide.

Extasiée. Nerveuse. Les nerfs tendus et les dents serrées, Clara ne sait absolument pas quoi faire. Tout replacer dans la niche de pierre? En parler vite à ses parents? Déménager le trésor ailleurs où elle pourra aisément le reprendre? Ses idées se brouillent. Et monsieur Kamil dans tout ça?

Lui qui passe sa vie à économiser le moindre sou! Il a vécu au-dessus d'un trésor sans s'en douter. Il en mériterait bien la moitié pour ses tremblements de terre. Pour ses enfants qui cherchent.

Et puis, comment rapporter tout cela en Grèce? C'est sûrement interdit.

***

«Bibelas, je ne t'écris pas. Je ne peux pas t'écrire. Je ne sais pas si je suis complètement en colère contre toi, ou bien toute heureuse d'avoir déniché le fameux trésor de ta Bibitsa. Tu vois où cela mène de croire tout ce que tu racontes! Et le pire, c'est que tout était vrai. Tu ne peux pas t'imaginer à quel point toute cette histoire me bouleverse. Il y a des moments où je me dis que j'aurais pu me retrouver à sa place, me retrouver moi en pleine guerre, obligée de fuir ma maison, ma ville, mon bord de mer et mon trésor.

Bibelas, tu me fais enrager. Tu n'as jamais pensé à ce que j'en ferais, de ton trésor? Tu n'as jamais pensé qu'il pouvait être si gros qu'il me serait impossible de lui faire passer la frontière? Imagine un instant la tête du douanier qui ouvrirait mon sac. Te rends-tu

compte, Bibelas? Et ce que tu ne savais pas, c'est que le médecin d'Ayvalik n'est pas quelqu'un à qui on a envie de jouer des tours. Je n'ai pas envie de lui dire: «Cher monsieur Kamil, vous aviez un trésor dans votre maison, mais je vous le prends. Vous n'y avez pas droit. Ce sont les choses de la famille Bibelas que vous n'avez jamais connue, qui habitait chez vous depuis des générations jusqu'en 1923. Et je leur rapporte.» Tu me vois dire ça? Et en plus, dire ça à l'homme au cœur le plus grand du monde qui se sacrifie depuis des années? Bibelas, tu m'as joué un vilain tour et je ne sais pas quoi faire. Et je ne t'écris pas parce que je dirais des bêtises.»
(Extrait du cahier rouge)

Chapitre 10

«Un fantôme, il ressemble à un fantôme»
se dit Clara en avançant lentement
à travers le grand salon.

Depuis deux jours, Clara est restée chez elle. Elle n'est pas remontée à la maison de monsieur Kamil. Il faudrait bien pourtant aller nourrir les animaux et vérifier si le paon a bien mangé.

Deux nuits de mauvais rêves. Deux nuits à se réveiller toutes les heures, à se poser des questions sans réponses. Et si monsieur Kamil connaissait le trésor? S'il se doutait de quelque chose? S'il savait? S'il l'avait toujours su? S'il revenait et qu'il découvrait la cachette vide?

Clara a bien pris soin, l'autre jour, de ranger le trésor dans un grand coffre, sous un tapis. Dans la plus petite chambre la plus délabrée. Et si, pour une raison ou pour une autre, monsieur Kamil faisait l'inspection des coffres?

L'angoisse, pire que la veille d'un examen, pire qu'après le pire des mauvais coups. Quoi dire à Bibelas? Et aux parents!

***

Clara a décidé d'attendre le retour de monsieur Kamil et de tout lui raconter. Sans en parler à personne d'autre, ni à ses parents, ni à Bibelas.

Quand elle voit un taxi monter vers la colline, elle sait que c'est lui qui revient.

Sans savoir ce qu'elle va dire à propos de sa découverte, elle prend le chemin de la maison du médecin, lentement, sur ses béquilles, pour être sûre de ne pas flancher en cours de route.

Le soleil se couche, les odeurs montent de la terre. Clara respire à grands coups pour tenter de calmer l'énervement qui la fait trembler.

Lorsqu'elle pousse la grille du jardin, la chèvre, l'âne et le paon s'avancent vers elle comme s'ils la connaissaient depuis toujours. Clara flatte le front de l'âne, puis celui de la chèvre.

Pas un son, pas un bruit. La maison semble aussi vide qu'en l'absence de monsieur Kamil. Pourtant, c'est sûrement chez lui que montait le taxi.

Clara appuie ses béquilles contre le mur et entre dans la maison sur la pointe de son pied valide.

– Clara...

La voix vient du grand salon. Monsieur Kamil est étendu sur le fauteuil du fond dans la pénombre de huit heures.

– Monsieur Kamil! C'est vous? Attendez un peu que j'allume! Qu'est-ce que vous faites dans le noir?

– Non, n'allume pas tout de suite.

Mais Clara a devancé l'ordre de monsieur Kamil. Elle s'arrête net, le bras en l'air.

– Monsieur Kamil, qu'est-ce qu'ils vous ont fait? s'écrie-t-elle.

– Viens, ma Clara, viens que je t'explique.

Monsieur Kamil a la peau aussi grise que sa chemise, les yeux au fond des orbites, les joues creuses. Clara sent les larmes lui monter aux yeux, bouleversée par cette apparition.

«Un fantôme, il ressemble à un fantôme», se dit Clara en avançant lentement à travers le grand salon.

– N'aie pas peur. Fais-moi un sourire, je vais t'expliquer. Personne ne m'a rien fait. C'est comme ça. Mais avant, dis-moi comment va ta jambe.

– Bien, monsieur Kamil, bien. Ne vous en faites pas, je suis venue nourrir les bêtes et elles vont bien. L'abricotier commence à faire des fleurs, vous avez vu? Mais vous...

– Clara, je suis malade. Tu le savais. Aujourd'hui, je suis très malade. Fatigué. À l'hôpital, on a essayé un nouveau traitement qui n'a pas fonctionné. J'en connais assez long sur la question pour savoir qu'il n'y a plus de solution. Je serai de plus en plus fatigué, de plus en plus faible, jusqu'à ce que...

– Non, monsieur Kamil, dit Clara, tremblante, en se rapprochant doucement de lui. Ne dites rien.

– Je suis vieux, Clara. C'est moins grave de mourir à mon âge.

– Vous n'allez pas mourir. Vous n'allez pas mourir tout seul ici?

– Non. Je vais demander à madame Aygul de venir s'installer chez moi. Elle saura bien s'occuper de moi, tu sais.

Comment Clara pourrait-elle parler du trésor à un moment pareil?

– En attendant, dit-elle, c'est moi qui vais m'occuper de vous. Je vais aller voir les bêtes, revenir vous préparer à manger, défaire votre valise et vous installer un lit.

Monsieur Kamil sourit. Les yeux à reflets pétillent un court instant et se referment, lentement, pendant que Clara descend au jardin.

***

Clara s'affaire pour ne pas pleurer, nourrit les animaux, prépare une salade. Lorsqu'elle monte chercher les draps et l'édredon dans la chambre de monsieur Kamil, elle s'arrête devant la porte de la petite chambre.

Le trésor. Elle a subitement envie de tout laisser tomber, de ne plus chercher de solution, d'abandonner à Ayvalik le trésor des Bibelas.

«Je pourrai toujours dire que je n'ai rien trouvé», se dit-elle.

Pourtant, elle ouvre lentement la porte de la petite chambre et contemple le coffre.

«Au moins la dague et les papiers, pour Bibelas...»

Vite, elle soulève le couvercle du coffre, retire les tapis qui cachent le trésor, s'empare de la dague et des rouleaux de papier qui doivent bien dater d'un siècle et les glisse sous sa robe, resserrant sa ceinture pour que tout tienne bien.

***

— Voilà, monsieur Kamil, dit-elle, souriante, lorsqu'elle revient avec les draps et l'édredon.

C'est avec des gestes très doux qu'elle installe le vieux médecin, qu'elle le regarde manger lentement la salade.

– Il fait noir, Clara, tu devrais rentrer. Reviens demain. Ça ira pour cette nuit.

– Je ne peux pas vous laisser tout seul. Je ne peux pas.

– Écoute, madame Aygul va venir demain matin. Je vais dormir, il ne peut rien arriver.

Clara l'embrasse sur le front, le regarde une dernière fois, éteint dans le grand salon et rentre chez elle en sachant bien qu'elle aura toutes les peines du monde à s'endormir.

> «Je n'ai jamais vu mourir personne. Mais ce soir, même s'il est toujours vivant, j'ai senti que monsieur Kamil avait décidé d'abandonner la vie.»
> (Extrait du cahier rouge)

Chapitre 11

Il le sait toujours quand tu reviens,
dit Sophia en sautant au cou de Clara
dès qu'elle franchit les barrières.

«Le temps ne s'étire pas vraiment, pas plus qu'il ne le faut, songe Clara. Il en aurait fallu beaucoup plus.»

Il lui a fallu quitter Ayvalik, faire ses adieux à monsieur Kamil en sachant très bien qu'elle ne le reverrait jamais.

Il lui a fallu camoufler la dague et les papiers. Si on la fouillait... Clara préfère ne pas y penser.

Il a fallu reprendre le chemin d'Istanbul puisqu'on n'avait plus le temps de passer par l'île de Bibelas. La fracture avait grugé tout le temps des vacances.

Il fallait partir, rentrer à la maison, revenir à temps pour l'école. Oublier Bibitsa et laisser filer sur le temps les moments de ces étranges vacances, ne plus penser au trésor puisqu'elle l'avait trouvé.

«C'est dur. Je sors d'un monde que j'ai à demi inventé. Que j'ai recomposé», précise Clara en prenant le temps de réfléchir.

Istanbul.

Clara Vic s'y retrouve heureuse. Le bonheur de reconnaître la ville, d'y revoir le dompteur d'ours, les pêcheurs dans les vagues des traversiers, le vendeur de toupies. Et Attila, qui lui laisse son adresse. Le plaisir de se dire aussi que Bibitsa est venue ici quelques fois, que tout ne s'est pas toujours passé à Ayvalik.

Le plaisir de revoir aussi les tours du Topkapi. L'Asie en face et le bout du monde qui suit, à découvrir un jour.

Une courte journée dans cette ville que Clara ne veut jamais oublier, pas plus qu'elle ne veut oublier monsieur Kamil. Une journée à respirer à fond les étranges odeurs d'Istanbul, les odeurs de mazout des traversiers, les odeurs de poisson, de friture et de sucre.

L'avion pour le retour, et le bateau pour Tinos: tout se fait trop vite pour avoir le temps de pleurer. Personne à la douane n'a songé à fouiller son bagage.

***

Tinos déjà. Tout va beaucoup trop vite. «J'étais en Turquie, pense Clara. Je rentre chez moi.» Après des heures, des heures à essayer de ne pas penser. Huit heures et demie. Il fait noir depuis vingt minutes. Ermis, de loin, sur le quai.

Le port, le vent et le ciel comme un miroir de mer, toujours comme la première fois. Oui, Ermis est là, sautant sur place et faisant rire tous ceux qui attendent le bateau. Clara le voit du pont, entre Sophia et Aléko.

– Il le sait toujours quand tu reviens, dit Sophia en sautant au cou de Clara dès qu'elle franchit les barrières.

Revoir son île, son Ermis de chien, Sophia et Aléko. Elle dépose son bagage et prend Ermis dans ses bras. Le chien lui lèche le cou et les oreilles en poussant son gémissement de circonstance. On dirait toujours qu'il lui parle.

– Le chien, attends un peu de voir ce que je t'ai rapporté, lui souffle Clara à l'oreille.

– Les Turcs ont réussi à te casser une jambe! fait Aléko l'air sévère.

Clara éclate de rire.

– Vous savez bien que ce sont des gens comme vous! Aléko, arrêtez de toujours penser à la guerre et à l'ennemi. Ils sont aussi gentils que vous et ils vous ressemblent.

Ils ne m'ont pas cassé la jambe. Je suis tombée, c'est tout.

— Tu ris, tu ris, ma Clara, mais tu sauras que ce pays-là, avant c'était le nôtre! réplique Aléko d'une voix sourde.

Clara ne le sait que trop. Elle a envie de dire à Aléko qu'elle le sait si bien qu'elle s'est même cassé la jambe en allant récupérer le trésor de Bibitsa Bibelas. Elle se tait, bien sûr.

Clara ne souhaite qu'une chose: se retrouver toute seule avec Ermis, lui raconter dans le détail tout ce qui s'est passé pendant les trois dernières semaines et mettre le plus rapidement possible la dague et les papiers en sécurité dans l'armoire aux miroirs.

— J'irai chez toi tout à l'heure, dit-elle à Sophia qui veut toujours tout savoir. Il a été gentil, Ermis?

— Tellement que je vais m'ennuyer sans lui...

— Laisse-moi le temps de défaire mes affaires et je vais te rejoindre.

— On ira chez madame piles, elle t'a sûrement vue descendre du bateau. Elle doit t'attendre avec toutes sortes de cadeaux.

— Moi aussi, j'ai des cadeaux. Et j'en ai un pour toi.

Lorsqu'elle se retrouve dans sa chambre, Clara s'empresse d'envelopper la dague et le rouleau de papiers dans une couverture qu'elle dépose au fond du dernier tiroir de l'armoire aux miroirs.

Ermis renifle le plâtre, comme si cette étrange chose ne faisait pas partie de sa Clara.

– N'aie pas peur, Ermis, dans une semaine, il n'y en aura plus... Tiens, regarde!

Clara sort de son sac les deux toupies à rayures d'or et les lance sur le plancher devant Ermis étonné. Les toupies tournent, se posent sur leur tête, retombent sur leur queue.

– Et pour vous, monsieur le chien, un cadeau qui fera frémir tout les gens de l'île!

Elle tend à Ermis une balle de cuir rouge sur laquelle se dessinent en blanc le croissant et l'étoile du drapeau turc, le drapeau de l'ennemi.

***

Jamais Clara ne s'est sentie revenir d'aussi loin.

De la terrasse, elle se remplit les yeux pour retrouver sa ville, son port, son île.

L'impression d'être partie depuis des

mois... D'avoir passé des semaines avec le fantôme de Bibitsa, avec monsieur Kamil. Monsieur Kamil. Combien de temps vivra-t-il encore? Clara s'est juré de lui écrire tous les jours, pour lui raconter sa vie dans l'île, pour lui parler du chien, des gens de l'île, de l'école, des fêtes, du bateau.

> «Je suis sûre que si j'écris tous les jours, ce sera un peu comme si j'allais le voir. Il aura l'impression d'être avec quelqu'un. Et puis, il attendra mes lettres, ça lui fera plaisir de savoir que je lui envoie un petit bout de ma vie tous les jours.»
> (Extrait du cahier rouge)

***

Madame piles a fait des confitures!
– D'aubergines, ma Clara! D'aubergines!
Avant de parler de confitures, madame piles a levé les bras au ciel en invoquant la Vierge de Tinos pour savoir ce qui était arrivé à sa pauvre Clara.
– C'est un accident, madame piles. Juste un accident. J'aurais tout aussi bien pu me casser la cheville ici en courant dans les chemins d'âne!
– Mais tu n'as pas pu profiter de tes va-

cances, ma pauvre fille!

— Oh oui, quand même! Si vous saviez...

Si elle savait, chère madame piles, si elle savait, elle en ferait un drame national. Avec des histoires de naufrages, de pirates turcs et de sabres étincelants.

— Et ton violoncelliste? Tu es allée le voir?

— Non, on n'avait plus de temps...

— J'aurais quand même préféré te savoir là plutôt que dans le pays de l'ennemi, fait madame piles, les lèvres serrées.

— Et la confiture d'aubergines, on peut y goûter? demande Clara pour parler d'autre chose que de cette guerre sourde qui survit toujours dans le cœur des gens d'ici.

— J'en ai trois pots pour toi, dit madame piles en retrouvant son sourire. Et je suis bien heureuse que tu sois venue me voir ce soir.

— Je vous ai rapporté un cadeau, dit Clara en sortant de sa poche le minuscule paquet qui contient l'oiseau de bronze acheté à Istanbul.

***

L'ange court derrière Clara. Elle se retourne en entendant les sons sourds et inarticulés qu'il fait toujours quand il veut essayer de dire quelque chose. L'ange lui tend une enveloppe. Le courrier a déjà été trié.

– C'est pour moi? demande Clara.

L'ange hoche la tête et à son grand sourire, Clara sait qu'il s'agit d'une lettre de Bibelas.

– Content, le chien? dit-elle à Ermis. C'est ton violoncelliste qui nous écrit. Tu vois, sa lettre était dans le même bateau que moi...

– Merci, l'ange. Viens, le chien, on rentre.

***

«Ma chère Clara,

Non, je ne t'ai pas écrit à Ayvalik. Et j'espère que tu vas comprendre, que tu ne m'en voudras pas. D'abord, catastrophe, j'ai dû trouver un nouveau violoncelle de secours. Le mien s'est perdu lors de la dernière tournée. On me jure qu'on va le retrouver. Mais il m'en fallait un, tout de même. Tu vois le genre de problèmes?

Mais cela n'a rien à voir avec le fait de ne pas t'avoir écrit.

J'ai subitement eu l'impression que mes histoires de trésor t'avaient complètement conquise, et beaucoup trop. Que c'était tout à fait ridicule de t'envoyer chez le médecin d'Ayvalik. Qu'il pouvait t'arriver toutes sortes de choses.

Quand j'ai su que tu avais la cheville fracturée, je me suis dit que tu serais sage et que tu cesserais les recherches.

Si je t'avais écrit de tout arrêter, tu aurais fait le contraire. Alors, voilà. J'espère que tu as pris le temps de te remettre. J'ai bien compris par tes lettres que vous n'aviez plus le temps de passer par chez moi.

Il faut probablement garder les histoires à l'abri, comme elles sont dans les livres. Mais tu comprends que pour moi, cette histoire-là, elle est tellement vraie que je n'ai pas su encore la transformer en légende. Au fond, je sais bien que le trésor a dû être découvert il y a très longtemps. Il faut croire que je ne peux m'empêcher de rêver, comme Bibitsa.

Je t'embrasse. Écris-moi vite.

Nassos.»

«Cher Bibelas! se dit Clara. Il a vraiment cru que je laisserais tout tomber! Qu'est-ce qu'il va penser quand je lui donnerai les papiers et ensuite la dague... Oui, les papiers d'abord, pour qu'il pense qu'il ne restait plus rien d'autre. Et la dague après, parce que pour lui, c'est ça le vrai trésor.»

Clara entend monter un air de violon de la maison voisine. On fête chez Sophia. Elle décide d'aller faire un saut, une demi-heure, pas plus. Le retour l'a fatiguée et demain, l'école recommence.

Chez Sophia, on danse lorsque son père sort son violon et qu'il en fait jaillir une musique qui monte en volutes comme d'étranges lamentations. Chez Sophia on danse, on rit et on mange des petits gâteaux. Et comme c'est le dernier soir de vacances, il ne faut pas rater la fête. Chez Sophia, on fait des fêtes plus qu'il n'en faut.

Trois semaines de vacances qui ont semblé des mois...

Chapitre 12

Il est tout seul monsieur Kamil, le chien.
Tout seul dans une maison où
j'ai laissé la moitié du trésor de Bibelas.

– Écoute, le chien, tu sais très bien que tu ne peux pas entrer dans l'école. Tu ferais bien trop peur à Popi la tortue!

Ermis n'a pas eu le temps de profiter de sa Clara. Il l'empêche d'entrer dans la cour de l'école, se colle contre ses jambes, essaie de se faufiler partout.

Ce matin, Clara s'est levée à la dernière minute, n'a même pas eu le temps d'aller saluer Aléko, pas eu le temps non plus d'aller au bateau. Ermis ne comprend pas.

– Le chien, fais comme avant. C'est vrai que je suis partie longtemps. Mais essaie de comprendre un peu! Et puis j'ai suffisamment de problèmes, non? Reste là bien

sage et j'irai te chercher un morceau d'a-
gneau, d'accord?

Le chien s'assoit, la tête penchée sur le
côté, l'air de supplier Clara.

À l'école, tout reprend comme avant,
mais Clara ne cesse de penser à monsieur
Kamil qui est peut-être en train de mourir.

***

Lorsque Clara sort de l'école, Ermis le
chien l'attend à la porte de la cour comme
s'il n'avait pas bougé depuis le matin.

– Viens, le chien. On va chez le boucher.

Aujourd'hui, Clara voudrait bien monter aux maisons mortes, son repaire des
grandes tristesses. Mais sa cheville ne le
supporterait pas.

C'est vers la maison bleue qu'elle marche
lentement, après avoir récupéré un peu
d'agneau pour Ermis.

– Je sais, le chien, dit-elle en enjambant
le mur du jardin abandonné, je sais que tu
ne me trouves pas très drôle. Je ne peux
pas courir avec toi sur la plage, je ne joue
pas assez avec toi, je sais, je sais tout ça.
Mais je suis triste, le chien, très triste. Ima-
gine-toi que je connais quelqu'un de très
gentil, quelqu'un qui m'a soignée, qui m'a
aimée, qui m'a chanté de très belles chansons, quelqu'un qui ne pense presque ja-

mais à lui, et cette personne-là est très malade. Il est tout seul monsieur Kamil, le chien. Tout seul dans une maison où j'ai laissé la moitié du trésor de Bibelas.

Ermis se couche sur les pieds de Clara, en poussant un long soupir, les oreilles rabattues. Clara s'installe du mieux qu'elle peut, la cheville appuyée sur une pierre où se dessine, usée par les siècles, une tête de bouc.

– Qu'est-ce que j'ai fait, le chien? J'ai triché? J'ai volé une partie du trésor de Bibitsa? Qu'est-ce que tu aurais fait, toi? Je ne pouvais pas en parler aux parents, ils n'auraient jamais compris. J'ai fait de la contrebande. C'est grave. C'est grave, mais c'est aussi grave d'avoir laissé le reste du trésor là-bas! Et qu'est ce qu'il aurait dit mon père, qu'est-ce qu'elle aurait dit ma mère, si j'avais expliqué toute l'histoire? Ils étaient bien d'accord pour venir voir avec moi la maison des Bibelas. Mais pas plus! L'histoire du trésor, au fond, ils n'y ont jamais cru. Qu'est-ce que je dis, qu'est-ce que j'écris à Nassos, maintenant? Tu sais bien, le chien, que je ne pouvais pas mettre dans mon bagage toute l'argenterie de sa famille, des coupes en or et des bijoux!

Là, toute seule, bien adossée au mur bleu de la maison, Clara se met à pleurer. Ermis ouvre les yeux, lève la tête et, doucement, lèche les unes après les autres les larmes de Clara.

Chapitre 13

Sinon, s'il devenait comme tous
les chiens civilisés, tout beau,
ce ne serait pas le vrai Ermis.

Tous les jours depuis qu'elle est revenue, Clara a écrit à monsieur Kamil comme
elle se l'était promis. Tous les jours elle raconte l'ordinaire de l'île, les histoires d'A-
léko, les frasques du chien et ce qui se passe
à l'école. Elle lui a raconté comment tout
s'est bien passé lorsque le médecin lui a
déplâtré la cheville. À lui, elle peut tout
dire. Elle sait bien qu'il comprend.

Monsieur Kamil a écrit trois lettres à
travers lesquelles Clara le sent faiblir. À
chaque lettre qu'elle écrit, Clara se dit qu'il
est peut-être déjà trop tard. Elle lui raconte
tout, son arrivée dans l'île, la longue histoire d'Ermis, celle du Vassili, parle de Popi

la tortue, de son cher violoncelliste mais sans jamais le nommer, sans dire surtout qu'il habite en face d'Ayvalik et qu'il est le petit-fils de l'ancien propriétaire de la maison de monsieur Kamil. Il habite loin, Clara n'en dit pas plus.

Aujourd'hui pourtant, Clara aurait bien envie de tout lui raconter, de parler du trésor, d'expliquer pourquoi elle tenait tant à passer une partie de ses vacances à Ayvalik, de lui révéler le contenu du coffre de la petite chambre. De lui dire surtout comme elle se sent traître, sombre et triste quand elle pense à lui, et qu'elle éprouve exactement le même sentiment quand elle pense à Bibelas.

> «J'ai l'impression de nager dans une mer sale. Rien n'est clair et pourtant, je sais que je ne pouvais pas faire autrement. Même le chien n'a pas l'air de comprendre.» (Extrait du cahier rouge)

***

«Et si je racontais tout à Aléko? se dit Clara. Est-ce qu'il y comprendrait quelque chose? Est-ce qu'il ne dirait pas plutôt que j'aurais dû tout ramener au risque de me faire prendre à la frontière, pour enlever à l'ennemi, comme ils disent tous, tout ce qui a pu un jour appartenir à un des leurs?»

Clara pousse lentement la porte du coiffeur, en laissant Ermis passer devant. Aussitôt, la panique. Est-ce qu'elle devrait vraiment dire quelque chose?

– Clara!

– Bonjour, Aléko. Vous allez bien? Et madame Aléko?

– Quand cesseras-tu de l'appeler madame Aléko!

– Aléko, c'est pour rire...

– Quelque chose vous tracasse, jeune fille?

– Oui.

– Quelque chose, à votre regard, qui est très difficile à demander?

– Oui.

– Je sais, j'ai deviné! Je savonne Ermis et je lui coupe un peu de poil? lance Aléko comme s'il venait de lire dans les pensées de Clara.

Elle éclate de rire. Comme si Ermis avait quelque chose à voir là-dedans! Mais pourquoi pas, un petit ménage de chien? Cela lui donnera encore un peu de temps pour réfléchir.

– Ce n'était pas exactement pour ça que j'étais venue, mais comme nous sommes là tous les deux, Ermis et moi... Je pense que ça ne lui ferait pas de tort, n'est-ce pas, le chien?

Ermis regarde Clara puis tourne la tête vers Aléko.

– Il est encore plein de chardons, ton Ermis. Tu ne l'empêcheras donc jamais d'aller passer ses nuits dans la montagne?

– Je sais qu'il revient toujours, Aléko. Il peut bien ramener quelques chardons.

Aléko prend Ermis dans ses bras et le fait asseoir dans le grand évier de pierre.

– Doux, le chien, doux...

Implorant Clara de ses grands yeux bruns, le chien se laisse faire tout de même car il sait bien qu'après, il se fera envelopper, frotter, réchauffer dans la grande serviette rouge qui lui est réservée.

– Alors, ma Clara, tu voulais me demander quelque chose.

– ...

– C'est trop difficile à demander?

– Je pense que oui.

Aléko n'insiste pas, il connaît trop bien sa Clara. Il savonne la toison ni grise ni caramel d'Ermis le chien, coupe les touffes de poils où se sont pris les chardons, rince, frotte et essuie le cher Ermis à grands coups de serviette rouge avant de s'attaquer à la coupe de ce curieux poil de chien abandonné.

– Même s'il sait qu'il reste avec toi, on dirait qu'il garde toujours ses allures de chien perdu. Il n'a même pas le poil civilisé, ton Ermis.

110

– Parce qu'il est fidèle...

– Qu'est-ce que tu me racontes, Clara Vic?

– Oui. C'est parce qu'il est fidèle qu'il reste le même. Sinon, s'il devenait comme tous les chiens civilisés, tout beau, tout brossé, ce ne serait pas le vrai Ermis. Mon chien à moi, celui que j'aime, c'est un chien perdu.

– Et il en a tout à fait l'air, conclut Aléko. Un coup de séchoir, monsieur le chien?

C'est ce qu'Ermis aime par-dessus tout. Il se laisse faire, les pattes molles, le regard vide, comme s'il voulait que cela dure toute la vie.

– Alors, Clara, tu me parles ou c'est pour demain?

– Je pense que ce sera pour demain, répond Clara, tout à coup moins sûre de son coup. Vous êtes là demain, Aléko?

– En fait, non, pour bien dire. Une petite escapade dans la montagne avec...

– Avec Barba Iannis! Je le savais. Vous allez rapporter des petits oiseaux, bande de chasseurs?

– Et surtout, des champignons, fait Aléko avec son sourire des grands jours.

– Vous m'en garderez un peu?

– Toujours, Clara. Il y en a toujours une part pour toi. Tu veux aussi des petits oiseaux?

***

– Clara! Clara! Vite!

Madame piles lui fait de grands signes.

– Je ne savais pas où te trouver, Clara, je t'ai cherchée partout... Mais à voir le chien, je comprends maintenant. Il réussit aussi bien qu'avec les humains, l'Aléko.

– Il adore ça, et le chien aussi, répond Clara.

– En tout cas, il est plus beau comme ça! affirme madame piles. Il a l'air d'un vrai chien. Bon, écoute-moi bien, ajoute-t-elle sans laisser à Clara le temps de répliquer. Cours à la poste. Il y a un télégramme pour toi.

– Un télégramme?

– Oui, ma chère. Et devine d'où il vient?

– De Turquie?

Madame piles fronce les sourcils.

– Tu n'aurais jamais dû mettre les pieds dans ce pays-là! Non, c'est de ton violon-celliste, ajoute madame piles, plus douce, avec son sourire de grand-mère.

– Vous savez tout, comme toujours!

– C'est Maria de la poste qui est venue...

– ... acheter des piles pour sa radio.

– Tu sais tout, comme toujours! dit madame piles en riant.

– Maria, elle dévore les piles. Et elle ne sait pas se taire!

112

– Mais il fallait qu'elle te fasse le message! Cours vite à la poste. Allez! Moi, je ne prendrais pas le temps de discuter si je recevais un télégramme!

***

«Arriverai samedi pour la semaine STOP Après concert à Athènes le 12 STOP Remplace dernière minute violoncelle malade STOP Avertis Ermis STOP Bises. Nassos.»

Le cœur de Clara chavire une fraction de seconde. Nassos pour une semaine. Nassos qui arrive en pleine incertitude. Nassos qui ne se doute de rien. Qui ne sait même pas que monsieur Kamil peut mourir en emportant le trésor avec lui. Qui ne sait pas non plus qu'il y a un trésor. Mais Nassos, tout de même. Depuis le temps qu'il est venu.

***

– Il va coucher dans le salon comme d'habitude, dit Clara.

– Il faudrait quand même lui faire un peu plus de place, surtout s'il reste toute une semaine, répond son père.

– Mais le salon est assez grand. Et Bibelas n'arrive pas avec un piano à queue! dit la mère de Clara.

«Ils s'énervent autant que moi!» pense Clara.

***

On dirait que la ville entière se prépare à l'arrivée du violoncelliste. Une nouvelle ne reste jamais bien longtemps secrète. Il a suffi que madame piles sache que Clara avait reçu un télégramme pour que tout le port soit au courant dans l'heure. Si Bibelas envoie un télégramme, c'est qu'il se passe quelque chose de grave ou qu'il arrive bientôt. Alors aussitôt, madame piles a demandé à Clara qui descendait de la poste:

— Est-ce qu'il se passe quelque chose?

— Mais non, madame. Rien. Il arrive, c'est tout.

— Ça n'a pas l'air de te faire plaisir, ma Clara!

— Mais oui, madame, je suis très heureuse.

Ce que Clara n'a pas dit, c'est que l'angoisse lui serre le cœur comme avant les coups de vertige. Elle va mentir à Bibelas et elle le sait. Cela ne lui fait pas plaisir du tout.

Chapitre 14

Pense à Bibitsa, Nassos. Pour elle, c'est
ton île qui est venue en second.
Tout a commencé à Ayvalik.

Clara aurait bien aimé être seule au bateau pour l'arrivée de Nassos. Mais il y a
toujours la petite foule fidèle, les curieux,
ceux qui attendent quelqu'un, ou qui viennent au bateau par habitude. Chaque jour
depuis qu'elle habite l'île, Clara est venue
voir arriver le grand bateau blanc pour le
simple plaisir de voir entrer dans le port
cette masse majestueuse glissant sur l'eau
quand il fait beau, luttant contre le vent les
jours de tempête. Quand la tempête est
trop forte, le bateau ne vient pas.

Ce matin, il y a trois fois plus de monde
que d'habitude. Depuis le jour où les gens
de l'île ont compris que le chien Ermis

avait un jour appartenu à Bibelas, ils ont laissé tomber leurs craintes et leur méfiance à l'égard du pauvre chien. Ils se sont pris d'amitié pour ce grand violoncelliste aux yeux doux, n'ont plus jamais eu peur du chien et ont décidé de conquérir le cœur de Clara. Ainsi, chaque fois qu'il débarque dans l'île, Bibelas reçoit un accueil hors de l'ordinaire.

Aujourd'hui, Clara n'a pas envie de tant de monde autour d'elle. Elle préférerait voir arriver Nassos dans une petite barque sur la plage de sable noir pour pouvoir lui dire (peut-être) tout ce qui lui fait chavirer le cœur depuis Ayvalik.

Le bateau s'avance de profil, calme dans le soleil du matin, son drapeau bleu et blanc à peine relevé par la brise. La mer est douce. Bibelas est là au deuxième pont.

Passé la jetée, le bateau se retourne lentement et commence ses manœuvres en marche arrière.

S'il avait pu, Bibelas aurait sauté sur le quai avant l'amarrage, avec ses valises et son violoncelle. Clara, elle, aurait bien voulu courir, mais même sans le plâtre, elle ne peut pas encore.

Ermis se glisse sous les barrières et bondit dans les bras du violoncelliste.

– Clara! dit Bibelas de sa voix qui ressemble à un souffle.

Elle lui saute au cou, prête à rire autant qu'à pleurer. L'ange arrive aussitôt en sautillant, empoigne d'un geste vif valises et violoncelle et, par d'étranges mimiques, explique à Bibelas qu'il ira tout porter chez Clara.

Alors c'est le rire qui l'emporte. Clara ne peut résister aux regards émus d'Ermis le chien qui semble lui dire: «Ne t'inquiète pas, je t'aime quand même, mais lui, c'est tout à fait particulier.» Ermis enfouit son museau dans le cou de Bibelas comme s'il allait y découvrir quelque chose. L'odeur de son enfance?

Aléko et sa chère harpiste invitent Clara et Bibelas au café de l'hôtel Avra.

C'est l'heure des odeurs de cannelle. Le bateau est vite reparti, il va bientôt disparaître derrière la pointe. Le bateau du samedi matin, c'est celui que préfère Clara: on a le temps de s'asseoir pour le regarder partir, de voir le port s'animer sans avoir à courir à l'école. Ce matin, elle resterait assise des heures pour retarder le plus possible le moment où elle devra tout avouer à Bibelas. Il ne se doute de rien, le Bibelas, et répond, un peu timide, aux questions de Clara sur le concert à Athènes, à celles d'Aléko, de la harpiste son épouse, et de tous ceux qui passent exprès devant le café, curieux et impatients de savoir ce que

Bibelas vient faire une fois de plus dans l'île.

Ermis est couché sur ses pieds, les yeux fermés, comme s'il dormait là depuis la veille.

***

– Qu'est-ce que tu vas faire pendant que je serai à l'école? demande Clara à Bibelas, sur la terrasse de sa chambre qui domine le port.

– Je monterai aux maisons mortes avec Ermis, j'irai travailler dans la maison bleue...

– Sans moi! Vous avez des audaces, monsieur Bibelas, d'aller sans moi dans mes repaires!

– De toute façon, j'ai autant d'heures de travail à faire que tu as d'heures d'école. Il faut que je prépare une nouvelle pièce.

– Alors tu m'attendras pour monter aux maisons mortes.

– Si on y allait tout de suite? demande Bibelas.

Ermis le chien se fait un plaisir de partir pour une si longue promenade. Clara le laisse courir devant avec Bibelas en se demandant, le cœur brouillé tout à coup, s'il vient la voir, elle, ou s'il vient voir le chien.

***

Jusqu'au dimanche soir, Clara Vic résiste à l'envie de parler du trésor. Il y a suffisamment de choses à raconter sur Istanbul, sur monsieur Kamil et sur Ayvalik. Bibelas veut tout savoir: à quoi ressemble Ayvalik dans le moindre détail, comment sont les gens, le médecin, à quoi ressemble la maison de Bibitsa. Il regarde sans se lasser les photos que Clara a eu le temps de faire lorsque monsieur Kamil est allé à l'hôpital d'Izmir. Et les photos de son île, vue de l'autre côté, «vue par l'œil de l'ennemi» aurait dit madame piles.

Bibelas s'extasie. S'étonne de ce qu'Ayvalik soit en quelque sorte un prolongement de son île à lui.

— Mais c'est ton île à toi qui est le prolongement d'Ayvalik. Pense à Bibitsa, Nassos. Pour elle, c'est ton île qui est venue en second. La vraie vie, c'était là. Tout a commencé à Ayvalik. C'est de là que tu viens, tu le sais bien.

— Aïvali.

Chaque fois qu'elle parle de Bibitsa, Clara sent son cœur se serrer. De plus en plus fort chaque fois. L'impression d'avoir connu quelqu'un que Bibelas ne connaît pas.

Il ne comprendra sans doute jamais ce

qu'elle a ressenti au bord de la trappe chez monsieur Kamil. C'est elle, Clara Vic, et elle seule, qui a touché la pierre, respiré l'odeur du souterrain, palpé les marches de marbre, fouillé la niche dans le mur de pierre. C'est elle la seule qui, après Bibitsa, a touché au trésor. Et c'est elle aussi qui a su, presque soixante-dix ans après le jour où Bibitsa eut refermé la trappe avec son père, que l'histoire du trésor était vraie.

Qu'est-ce qu'elle dira à Bibelas, qu'est-ce qu'elle ne dira pas? Il semble avoir abandonné l'idée du trésor. Il croit vraiment qu'elle est restée sage, qu'elle n'a rien fouillé sous prétexte qu'elle avait une cheville plâtrée? «C'est bien mal me connaître, monsieur Bibelas», se dit Clara en le regardant jouer avec le chien.

***

Dimanche soir, l'école demain matin. Clara a tenu à aller marcher sur la plage de sable noir avec Ermis et Bibelas. Demain l'école. C'est ce soir qu'il faut parler. Clara hésite, Clara a peur.

– Ça embête tes parents que je travaille mon violoncelle à la maison? demande Nassos.

– Non.

– Et les voisins?

– Non plus. Ça ne les dérange pas.

– Tu es sûre?

– Oui. Bibelas, je voudrais... Je voudrais te dire...

– ...

– Je voudrais te dire que...

– Clara, qu'est-ce qui se passe? Tu ris ou tu pleures?

– Je ne sais pas. Tout ce que je peux te dire, c'est que... c'est que j'ai une surprise pour toi, achève Clara au bout de l'émotion, un sourire qui tremble au bord des lèvres.

– Une surprise?

Elle ne lui laisse pas le temps de poser des questions, le prend par la main et court vers la maison en criant:

– Vite, Ermis! Le premier arrivé gagne un os!

***

Bibelas n'a pas le choix: il laisse Clara diriger les opérations. Elle le fait asseoir sur la terrasse, lui bande les yeux avec un long foulard de soie bleue. Elle ouvre l'armoire aux miroirs, déroule délicatement la couverture enfouie dans le dernier tiroir.

– Tiens, dit-elle un peu trop brusquement en déposant entre ses mains le rouleau de papiers. Devine.

– Du papier.

– Oui, dit Clara dans un souffle.

– Des papiers? Qu'est-ce que c'est? Une partition! Clara, tu m'as acheté des partitions à Istanbul? C'est ça? Des vieilles chansons d'Anatolie?

– Attends.

Les mains tremblantes, elle lui tend la dague dans son étui de cuir. Bibelas palpe l'étui, remonte les doigts vers le manche. Son sourire disparaît brusquement.

Clara voit Bibelas se raidir, serrer les mâchoires.

– Non!

Le cri lui a échappé comme sous le coup d'une douleur trop forte. D'un geste brusque, il arrache le bandeau.

– Clara... murmure-t-il, incrédule.

Clara reste muette. Ni fière ni honteuse, ou à mi-chemin entre les deux. Encore une fois aux prises avec l'idée d'avoir laissé dans la maison de monsieur Kamil toute l'argenterie de la famille, les coupes d'or et les bijoux.

– Clara...

Bibelas lève les yeux.

– Non, je ne l'ai pas achetée à Istanbul, dit-elle. Non, ce n'est pas une partition. Ce sont tes papiers de famille... et c'est bien la dague de tes ancêtres.

Bibelas déroule les papiers, serre la

dague entre ses mains sans pouvoir arriver à croire que Clara, Clara Vic elle-même, a mis la main sur le trésor.

– C'est le trésor de Bibitsa, tu te rends compte? dit Bibelas d'une voix très sourde.

«Oh oui! Je m'en rends très bien compte», voudrait-elle lui répondre. Clara sent les larmes lui monter aux yeux. Il faut qu'elle parle.

Comment a-t-elle fait, pourquoi n'a-t-elle rien dit, comment s'y est-elle prise pour passer la frontière? demande Bibelas. Et ses parents? Monsieur Kamil? Les questions fusent les unes après les autres, Bibelas est impatient de tout savoir. Il veut revoir les photos, savoir exactement où se trouvait la cachette, comment elle l'a trouvée, comment elle a réussi à tout faire sortir de Turquie. Il lit et relit les documents précieux.

– Et les bijoux, l'argenterie, toutes les autres choses dont Bibitsa parlait? demande-t-il subitement.

Clara serre les dents et respire tout à coup très vite. «Le cœur va m'éclater, se dit-elle. Je vais pleurer, je vais crier, je vais casser...»

– Je ne les ai pas trouvés, répond-elle d'une voix troublée.

Elle doit à tout prix éviter de parler des bijoux. Ne pas en parler, surtout ne pas en parler, pour ne pas trop mentir.

Clara raconte, comme pour s'étourdir, comment elle s'est acharnée à chercher le trésor, et pourquoi elle l'a fait.

«Parce que j'étais chez elle, tu comprends? voudrait-elle expliquer à Bibelas. Parce qu'elle avait presque le même âge que moi à l'époque d'Ayvalik, parce que j'aurais pu naître à sa place et elle à la mienne, parce que tout est trop fragile, parce que le temps n'a rien à voir dans tout ça, parce que...»

– Tu pensais avoir fait une bêtise en me demandant de chercher le trésor, Bibelas. Tu as ce que tu voulais, déclare Clara d'un ton plus froid qu'elle ne le souhaiterait.

Elle pense à monsieur Kamil. Elle ne lui a pas écrit, ni hier ni aujourd'hui.

Les remerciements de Bibelas la touchent moins qu'elle ne l'aurait cru. «Parce qu'il me remercie sans connaître la fin de l'histoire...»

S'il se doutait qu'elle lui cache une énorme partie du trésor. Si Bibelas savait qu'il partage son trésor avec monsieur Kamil!

«Bibelas, je ne peux pas encore tout t'expliquer. Je ne sais pas comment. Je n'ai pas encore trouvé la bonne façon. Je triche,

je te cache des choses. Mais je ne
peux pas faire autrement. Je me
torture le cœur depuis des semaines. Et je ne sais pas quand tout
cela va finir, ni comment. En attendant, tu as ta dague et tes papiers. C'est mieux que rien. Surtout que tu ignores complètement
qu'il y avait autre chose. C'est ça
qui me bouleverse.»
(Extrait du cahier rouge)

Ce soir-là dans sa chambre, Clara se dit
qu'elle préférerait voir Bibelas repartir par
le premier bateau. Elle lui a rapporté un
trésor auquel il ne croyait même plus. Heureux, bouleversé, tout ému, il avait les yeux
plus tendres que jamais. Tout pourrait bien
se terminer là-dessus.

Plus tard, beaucoup plus tard, ils auraient tout le temps d'en reparler.

Mais elle n'a plus le courage de garder
pour elle la deuxième partie de l'histoire, la
suite de l'histoire du trésor. Il faudra bien
qu'elle parle. Quand et comment? C'est encore le mystère dans le cœur de Clara Vic.

Chapitre 15

*J'ai toujours cru que ce coffre était vide.
Est-ce que la maladie me jouerait
des tours à ce point?*

En voyant l'enveloppe que lui tend l'ange le lendemain après l'école, en plein milieu du port, Clara frissonne. «Mademoiselle Clara Vic, poste restante, Tinos, Grèce».

Timbres turcs, tampon d'Ayvalik. Expéditeur: Sami Sirlak. Qui est-ce?

«Mademoiselle,
Je suis le directeur de l'école d'Ayvalik. Nous nous sommes rencontrés un matin lorsque je vous ai remis une lettre de la part de monsieur Kamil Koç.
J'ai l'immense regret de vous apprendre le décès de votre ami monsieur Koç. Con-

naissant sa profonde amitié pour vous, je vous prie d'accepter l'expression de toute ma tristesse. Monsieur Koç a beaucoup fait pour les gens d'Ayvalik et pour ceux de toute la Turquie. Il m'a remis pour vous cette lettre que je joins à la mienne.

Au plaisir de vous revoir un jour,

Avec toutes mes condoléances,

Sami Sirlak»

Les mains de Clara tremblent en dépliant les feuillets gris couverts des grandes lettres violettes.

«Ma chère petite Clara,

Je n'en ai plus pour bien longtemps. J'ai bien reçu toutes vos lettres. Rien que de penser que vous avez eu la patience de m'écrire tous les jours me comble le cœur. J'ai eu l'impression que vous n'étiez jamais partie. L'âne, la chèvre et le paon vous ont cherchée partout après votre départ. Je me suis permis de leur dire que vous reviendriez. Vous reviendrez, Clara.

Si je prends la peine de vous écrire, c'est qu'il s'est passé il y a quelques jours un événement tout à fait hors de l'ordinaire. J'ai demandé à madame Aygul de faire le grand ménage de la maison, de tout mettre à l'ordre sans oublier une seule pièce, car je sens bien que d'ici quelque jours je ne pourrai plus parler. Je tenais à ce que tout soit à sa place avant mon départ.

Au bout de quelques heures, elle est descendue dans le grand salon (où vous m'aviez installé et où je suis toujours) en invoquant tous les dieux de la terre, complètement affolée, et m'a raconté qu'elle venait de trouver un trésor dans un coffre.

Je lui ai dit de ne pas s'en faire, que tout l'argent que j'ai économisé pour les enfants des tremblements de terre se trouvait à la banque. Je lui ai expliqué que la somme qu'elle venait de trouver représentait mes dernières économies que je gardais pour elle après ma mort.

Elle s'est lancée dans une très longue explication. Ce n'est que très difficilement que j'ai réussi à comprendre qu'il ne s'agissait pas d'argent, mais d'un véritable trésor.

De peine et de misère, elle est allée chercher le contenu du coffre et s'est mise à étaler devant mes yeux incrédules d'innombrables pièces d'argenterie, des coupes en or et des bijoux fabuleux.

C'était, paraît-il, caché dans la petite pièce du haut où je n'ai pas mis les pieds depuis des mois. J'ai toujours cru que ce coffre était vide. Est-ce que la maladie me jouerait des tours à ce point? Est-ce que j'ai déjà ouvert ce coffre? Je ne sais plus, Clara. Je ne sais plus ce qui est vrai et ce qui ne l'est pas.

Personne n'est entré dans cette maison depuis très longtemps. Et si quelqu'un était venu, ce n'aurait sûrement pas été pour venir y cacher un trésor. Je n'y comprends rien. La seule étrangère, c'est vous. Vous avez été la seule personne à pénétrer dans cette maison depuis la mort de ma femme et de mes fils qui, comme vous l'aurez sans doute deviné, sont disparus dans un tremblement de terre il y a déjà longtemps.

Je sais bien, Clara, que vous n'avez pas le don de faire apparaître des trésors, mais je tiens à vous dire que vous m'aurez servi de fée durant ces dernières semaines. Vous m'aurez aidé à vivre.

Maintenant que ce trésor est apparu, je peux mourir en paix, sachant qu'une telle fortune pourra sauver d'innombrables vies.

Pensez à moi, ma chère Clara, sans aucune tristesse. Dites-vous bien que le hasard qui vous a mise sur ma route m'a valu bien des bonheurs, et que si j'avais eu une fille, j'aurais bien aimé qu'elle vous ressemble. C'est pour cette raison bien simple et avec beaucoup d'amour que je vous lègue ma maison. Elle est à vous, je vous la donne. Vous trouverez ci-joint, pour vos parents, tous les papiers de loi qui vous rendent propriétaire de ma maison et de mon jardin.

J'ai laissé à madame Aygul sa part de fortune, ainsi que la chèvre, l'âne et le paon.

Ne pleurez pas trop, Clara, et faites-moi le plaisir de rester ce que vous êtes.

Je vous embrasse et je vous protège.

Kamil Koç.»

Clara replie très vite les feuillets et les glisse dans l'enveloppe, maladroite, les yeux brouillés par les larmes qui coulent déjà sur ses joues.

Elle court comme une folle vers la maison bleue en souhaitant très fort que Bibelas n'ait pas eu l'idée de s'y installer pour travailler son violoncelle. Sa cheville lui fait mal, elle s'en moque.

«Monsieur Kamil est mort. Monsieur Kamil est mort.» Les mots se répètent d'eux-mêmes dans sa tête, lentement, comme s'il fallait les redire cent fois pour se convaincre de leur vérité.

Elle revoit l'homme en gris, ses yeux pailletés d'or, son sourire étonnant, toujours un peu triste.

Lorsqu'elle enjambe le mur de la maison bleue, les tourterelles s'envolent brusquement pour lui laisser tout l'espace, pour ne pas déranger sa peine.

Couchée sur le dos, les yeux rivés sur le bleu du ciel, Clara ne pense plus. Elle revoit simplement les images d'Ayvalik dans un ordre anarchique: le dernier soir, le coucher de soleil sur l'île de Bibelas, le turquoise de la mer, la dame aux raisins séchés, le port à la première heure, monsieur Kamil dans le chemin de la colline, les îles vert foncé, le premier matin juste après le lever du soleil, le paon timide, la grille du jardin, le grenadier en fleurs, monsieur Kamil dans le taxi pour Izmir, les vieilles maisons de bois, la trappe du trésor et le trésor lui-même, monsieur Kamil couché dans le grand salon, ses yeux à paillettes, verts et dorés.

Doucement viennent se superposer à celles d'Ayvalik des images d'Istanbul, puis des souvenirs de chez elle, des images d'il y a très longtemps. Clara respire plus lentement. Les larmes ne coulent plus.

«Un jour, je retournerai à Ayvalik et j'y serai chez moi. Istanbul ne sera jamais loin», se dit-elle, une ombre de sourire entre ses larmes.

***

Ce sont les jappement d'Ermis qui la tirent de sa torpeur. Depuis combien de temps est-elle là? Le ciel est déjà moins bleu, il doit être six heures. Ermis bondit dans le jardin, suivi de près par Bibelas.

– On t'a cherchée partout! Personne ne t'a vue après l'école! Qu'est-ce que tu fais? Clara, tu pleures...

Sans un mot, les yeux rivés à ceux de Bibelas, Clara lui tend l'enveloppe.

Bibelas prend la première lettre, puis la deuxième et regarde Clara.

– Clara, je ne sais pas ce qui se passe. Mais traduis-moi, s'il te plaît, demande Bibelas de sa voix de souffle.

Clara lève vers lui un regard étonné. Après une très courte hésitation, elle comprend: qu'est-ce que Bibelas peut faire de ces lettres écrites en français? D'habitude, c'est elle qui est l'étrangère de quelqu'un; cette fois-ci, c'est Bibelas qui est loin de toute une partie de l'histoire, parce que cette histoire-ci s'est écrite dans la langue de Clara.

Elle essuie ses yeux rouges de larmes et commence, d'une voix cassée, à traduire du mieux qu'elle le peut la lettre de Sami Sirlak, et celle de monsieur Kamil. Bibelas écoute en silence.

«Maintenant, il sait tout», se dit-elle.

Clara ne pleure plus, ne pleurera plus. Elle sait qu'elle a bien fait. «J'ai le cœur en paix pour la première fois depuis des semaines.»

Elle dépose lentement la lettre sur les genoux de Bibelas et le regarde sans dire un mot.

– Tu as fait la seule chose à faire, dit-il enfin avec son sourire de bout du monde.

Clara hoche la tête, encore incapable d'ouvrir la bouche.

– Raconte-moi tout maintenant, demande Bibelas, d'une voix si basse que Clara devine plus qu'elle n'entend ce qu'il vient de dire. Raconte-moi tout depuis le trésor.

Lentement, en cherchant ses mots, Clara redit comment elle a découvert l'escalier à cause de la phrase de Bibitsa sur le dessous des choses. Elle raconte ses coups de vertige, les émotions folles qui lui ont fait trembler le cœur, au bord de la trappe. Elle dit toutes ses angoisses, celle d'avoir passé en fraude des objets qui ne lui appartenaient même pas, d'avoir tout caché à ses parents, d'avoir presque menti à Bibelas lui-même et d'avoir agi de façon bien étrange avec monsieur Kamil.

Elle raconte aussi l'angoisse des derniers jours.

– Je n'en pouvais plus, tu comprends? Je n'en pouvais plus de ne rien te dire, de te cacher que j'avais manipulé ton trésor, que j'avais décidé moi-même de ne pas le rapporter, d'en priver ta famille. Mais je ne pouvais pas faire autrement, je ne pouvais pas faire sortir de Turquie des objets qui ne m'appartenaient pas, et qui là-bas n'appartiennent à personne d'autre qu'à celui qui habite la maison du trésor! Je ne pouvais pas non plus prendre des choses sans avoir l'impression de voler monsieur Kamil sous ses propres yeux!

— Arrête d'expliquer, Clara. Je comprends.

— Mais je suis sûre qu'il n'y avait pas d'autre solution, ajoute encore Clara.

— Moi aussi, souffle Bibelas. Il n'y avait pas d'autre solution. Moi aussi, j'aurais fait la même chose que toi. Ne pleure plus, Clara, ne pleure plus. Tu as fait ce qu'il fallait faire. Pense à monsieur Kamil. Tu l'as rendu heureux. Tu m'as donné la dague et les papiers. C'est le plus important. Le reste, ça ne compte pas, dit-il en lissant de la main les cheveux de Clara.

Clara se laisse faire, comme Ermis le chien quand il revient de la montagne.

***

— Tu vas me laisser tout raconter à tes parents parce que c'est moi le responsable. Si je ne t'avais pas parlé de Bibitsa, il ne serait rien arrivé. Tu n'aurais pas pleuré. Tu n'aurais pas trouvé le trésor, tu

135

n'aurais pas connu monsieur Kamil.

– Et la vie serait bien triste, répond Clara avec un faible sourire. Tu vas vraiment pouvoir leur annoncer que je suis la nouvelle propriétaire de la maison de Bibitsa?

Bibelas la regarde et éclate de rire.

– Attention, Clara Vic, je pourrais bien un jour aller te visiter dans la maison de mon arrière-grand-mère.

***

Clara pleure, Clara rit. Ermis le chien n'y comprend rien. Les parents de Clara, eux, ont fini par comprendre, après de longues explications où Clara et Bibelas racontent la même histoire chacun à leur façon.

Bibelas, très sérieux, raconte la fuite de Bibitsa dans les moindres détails, raconte aussi l'exode des Grecs de Turquie, remonte le temps, explique l'histoire comme s'il l'avait vécue.

Clara décrit la maison, la vue sur Mytilène, les Moskonissia, les collines et les oliveraies.

Elle parle encore une fois de monsieur Kamil et des tremblements de terre, des enfants à sauver, de la tristesse du regard à paillettes.

Bibelas parle des sourires flous de Bibitsa lorsqu'elle lui parlait de son cheval.

Clara parle du paon qui a le cœur tendre.

Bibelas rêve d'être né à Aïvali.

Clara lui demande d'attendre seulement un peu. Il pourra bientôt s'installer chez Bibitsa s'il le veut. Elle lui prêtera sa maison.

– Mais ce sera une maison sans trésor, précise-t-elle.

«Il a connu la fin de l'histoire, se dit Clara en écoutant Bibelas parler de 1923. Moi j'en ai connu le début, j'ai touché au début de l'histoire de Bibitsa. J'ai ouvert la trappe du souterrain.»

Ermis le chien s'est endormi sur le fauteuil qui sert de lit au violoncelliste.

– Tu vois, dit Clara à Bibelas avant de monter se coucher, s'il n'y avait pas eu le chien, rien de tout cela ne serait jamais arrivé.

Ermis ouvre l'œil juste à temps pour voir Bibelas se pencher vers Clara Vic et l'entendre lui dire:

– Et la vie serait bien triste.

FIN

QUÉBEC/AMÉRIQUE JEUNESSE

COLLECTION
BILBO

Beauchemin, Yves
   ANTOINE ET ALFRED #40
Beauchesne, Yves et Schinkel, David
   MACK LE ROUGE #17
Cyr, Céline
   PANTOUFLES INTERDITES #30
   VINCENT-LES-VIOLETTES #24
Demers, Dominique
   LA NOUVELLE MAÎTRESSE #58
Duchesne, Christiane
   BERTHOLD ET LUCRÈCE #54
Froissart, Bénédicte
   Série Camille
   CAMILLE, RUE DU BOIS #43
   UNE ODEUR DE MYSTÈRE #55
Gagnon, Cécile
   LE CHAMPION DES BRICOLEURS #33
   UN CHIEN, UN VÉLO ET DES PIZZAS #16
Gingras, Charlotte
   Série Aurélie
   LES CHATS D'AURÉLIE #52
   L'ÎLE AU GÉANT #59
   LA FABRIQUE DE CITROUILLES #61
   LES NOUVEAUX BONHEURS #65
Gravel, François
   GRANULITE #36
   Série Klonk
   KLONK #47
   LANCE ET KLONK #53
   LE CERCUEIL DE KLONK #60
   UN AMOUR DE KLONK #62

COLLECTION
GULLIVER

COLLECTION
TITAN

Achevé Imprimerie
d'imprimer Gagné Ltée
au Canada Louiseville